JN032489

頭がいい人の

Chat GPT & Copilot

の使い方

橋本大也

デジタルハリウッド大学教授 ×
ーⅠT戦略コンサルタント

How smart
people use
ChatGPT
and Copilot

かんき出版

◎本書では ChatGPT と Copilot で、できることを紹介していますが、本文では読みやすいように、あえて ChatGPT だけの表現にしています。

◎ChatGPT Plus は 2024 年 7 月時点で、GPT-4、GPT-4o、GPT-3.5 の 3 つのモデルを提供しています。本書では GPT-4 と GPT-4o の両方を GPT-4 と呼んでいます。GPT-4o では 3 時間ごとに最大 80 回、GPT-4 では 3 時間ごとに最大 40 回の質問ができます（この最大使用回数は、状況によって変更されることがあります）。GPT-4o はより高速で、映像や音声認識機能が優れています。

◎ ![User] はユーザーが入力したプロンプト、![GPT] は ChatGPT や Copilot が表現したものです。

◎ ![Copilot] は Copilot でも可能な生成を示しています。

◎本書では著者が使ったプロンプトを掲載していますが、生成 AI の回答は毎回異なります。初回で望んだ回答が得られなくても何度か試すとうまくいくことがあります。修正を要求したり、再度やってほしい処理を詳しく書くと良い結果が得られることが多くあります。

◎この書籍は、2023 年 2 月のデータを基にしています。出版後、サービスやソフトウェアの仕様、インターフェースが変わる可能性があることをご了承ください。

◎この書籍を利用することで生じるいかなる直接的、間接的な損失に対しても、筆者及び出版社は責任を負いません。予めご了承の上でご利用ください。

◎出版後に更新されたハードウェア、ソフトウェア、サービスに関する質問に対しては、回答できない場合があります。本書に記載された初版発行日から 3 年以上経過したり、紹介されている製品やサービスのサポートが終了している場合、質問には応じられないことがあります。また、以下の質問には回答できませんので、ご了承ください。
・本書に記載されていない内容に関する質問
・製品やサービスの不具合についての質問

◎本書に登場する会社名や製品名、サービス名は、通常、それぞれの提供元の登録商標または商標です。ただし、本文中では ™ や ® マークは使用していません。

はじめに

■ AIとあなたのコラボレーション

頭がいいのはあなたです。生成AIではありません。

　生成AIは物知りで、口が達者です。しかし、現実世界を生きている、私たちと同じ知恵を持っているわけではありません。AIが得意にしているのは、データ・情報・知識・知恵（情報工学のDIKWモデル）のうち、前半の「データ」と「情報」だけで、後半の「知識」は少しあやしいといえます。知識を深く理解し、さまざまな状況に適応して解決策を見出す能力や、創造的な思考力である「知恵」に至っては人間にまったく及びません。

　数十億冊の本を学んだに匹敵する現代の生成AIは「前代未聞の物知り」で、何を聞いても答えてくれます。しかし人間が監督しなければ、子どもでもしないようなレベルのミスをします。頭がいいというより「頭でっかち」なのです。いわば生成AIは、世間知らずの新入社員のようなもの。
そんな生成AIと一緒に働く時代が訪れました。
　この共働のことをマイクロソフトはCopilot（共同操縦）と呼び、同社で提供するAIのサービス名にしました。

　本書は、知恵を持つ人間と、データや情報を持つAIが共働するためのノウハウをまとめました。
　生成AIには、質問と回答、文章の作成、Web検索、データ分析、画像や音声の認識と合成、プログラミングなど幅広い能力があります。うまく使えば人間の生産性を倍増させることも可能です。次ページから、具体例を紹介しましょう。

■ インタラクションで仕事を進める

本を書くとしたら、あなたが著者で、生成AIは編集者です。

　人間とAIが役割を分担して、クリエイティブなワークスタイルを確立しましょう。

　編集者は、誤字脱字や著者の勘違いを修正します。ときには著者に代わって、加筆もします。そして、構成を整えたり小見出しをつけたりして、一般読者にわかりやすいパッケージに仕上げます。

　しかし、著者の知識やメッセージなしには、中身のある本にはなりません。生成AIに原稿執筆を任せた本がネット書店で大量に売られていますが、面白い本はありません。

　本作りには、著者と編集者のインタラクションが必要です。

　編集者が基本的な質問をして、それに著者が答えることで作られる本があります。学者である著者が、一般読者のニーズを編集者から教わって書かれる本もあります。著者も編集者もそれぞれの分野のプロです。対話によって互いに知識を引き出し合う関係が、よい本を生み出します。

生成AIに優秀な編集者になってもらいましょう。

　生成AIは、あなたの弱点を補うことができます。

　計算はできるが文章にするのが苦手、分析はできるがきれいなグラフにするセンスがない。論理的思考は得意だが発想力が弱い、もしくはその逆……。**AIは、あなたのそうした弱みを補い、スキルを拡張補佐します。**

　ChatGPTは、言語モデルに加えてプログラミング言語のPythonや、洗練された画像生成モデルを統合しています。**文系の仕事にも理系の仕事にも、幅広く対応できるのです。**

■ AIを思考のパートナーにする

　生成AIを「辞書」や「分度器」のようなツールとして使用するのも結構ですが、**それ以上の「仮想人格」に格上げして対話をするのが、本当に頭がいい人の使い方です。**

　教育心理学者ヴィゴツキーが提唱した「発達の最近接領域」という理論があります。三重の同心円があったとして、まず中心が「自力でできること」の円です。その外側に「支援があればできること」があり、一番外側には「できないこと」があります。真ん中の「支援があればできること」が「発達の最近接領域」です。AIの支援を受けることで、人間はこの領域の能力を発揮できるのです。

■発達の最近接領域

人間はAIの支援を受けることでこの領域の能力を発揮できる

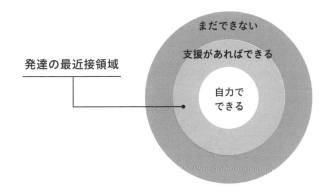

たとえば、自分の専門分野について、生成AIに壁打ち相手になってもらってやり取りしていると、おのずとブレイクスルーが見つかります。

新商品やサービスのアイデアが、AIとのブレインストーミングから生まれてきます。AIがダイレクトに答えをくれることは少ないかもしれませんが、AIから思考支援を受けるプロセスを通じて、あなたの潜在能力が引き出されるのです。

■ アシスタントとしてこき使う

もう1つのおすすめの使い方は、あなたが監督になって「時間をかければできるが面倒でやらない作業」を任せること。

たとえば、膨大な量の情報を要約する、定型の書類の項目を埋める、結果を図にする、専門知識を一般向けのやさしい言葉にする、2カ国語の資料を作る、煩雑なタスクを自動化するプログラムを書く、デザイン案を大量に作るなどという作業です。

たとえば、AIに新商品のキャッチコピーやマスコットキャラクターの案を100種類作らせましょう。ピンとくるものがなかったら、さらに100種類、それでもダメなら、さらに100種類作らせればいいのです。人間のアシスタントをこんなにこき使ったら、パワハラで訴えられるかもしれません。

でもAIアシスタントの場合は、それが効果的な使い方なのです。

このときのポイントは、仕事の内容を「自分でも時間をかければできること」に絞ること。英語がまったくわからない人がAIに翻訳を任せて、そのまま納品したらきっと大きな問題になります。統計の基礎知識がない人が、生成AIにデータ分析をさせると、結構な頻度で発生するAIの間違いを見抜くことができないでしょう。

アシスタントをうまく使う上司には、簡潔にして効果的な指示を出す能力が求められます。

生成AIへの指示を工夫することを、プロンプト・エンジニアリングと呼びます。これには、作業者を監督するディレクターやプロデューサーのような、上からの視点と見識が必要になります。この知識がある限りは、仕事をAIに奪われたりはしないでしょう。

■ 学者として使う、エンジニアとして使う 「宣言型の知識と手続き型の知識」

生成AIが持つ知識には（1）宣言型の知識と（2）手続き型の知識があります。

宣言型知識とは、辞書に載っている定義や、さまざまな物事の明文化された説明です。手続き型の知識とは、何かをするときの手順や熟練者のコツの知識です。**従来のAIは宣言型の知識が得意でしたが、生成AIは手続き型の知識を持っていて、しかもそれを実行できる点が違います。**

生成AIは、Webの検索エンジンの代わりに使えます。「○○とは何？」と聞けば、学習した情報の中から、なければWebを検索して取り込んだ情報を使って回答を出します。Webで何十回も検索して見つけていた答えが、数回の会話で見つかることがあります。**答えがある問題について、生成AIは博識な学者として強力なパートナーになるのです。**

生成AIはたまに、本当は知らないのに妄想を答える「ハルシネーション」という現象を起こしますが、知識がある人は見破ってやり直しを命じればいいでしょう。

手続き型の知識を活用できると、生成AIで驚きの結果を出せます。

たとえば、この本では、GDPトップ10カ国の推移データをChatGPTに与えて、変化がわかるアニメーション動画を作らせました。

「時系列がわかる動画にして」と言葉で指示するだけで動画ができるのだから驚きですが、ChatGPTはデータを動くグラフにするために、

1　データを分析して推移を数値データにする
2　毎日の数値をプロットして静止画にする
3　日数の分だけ静止画を生成する
4　静止画を連続表示するMP4動画形式に変換する

という手続きの知識を持っているのです。

そして内蔵しているPythonというプログラミング言語を使って、プログラムのコードを書き、それを実行して完成したグラフを表示しています。

複数のステップで構成される複雑な作業も「動画にして」の一言で完了するのです。

この本ではそうした中級テクニックもいろいろと紹介します。

■ プロンプト・エンジニアリングは学ぶ価値のある 生産工学の知識

マイクロソフトのCopilotは、MS Office365と連携して動きます。

たとえば、「○○のプレゼンテーションの資料を作成して」と指示を出せば、PowerPointが構成を考えて、複数ページでグラフィカルな資料を丸ごと生成します。Excelは読み込んだデータに対する分析をユーザーに提案し、グラフを作ります。Wordは執筆中の原稿の続きを書いたり、途中を埋めたりしてくれます。

これからの時代、生成AIは、PowerPointやExcel、Wordなどといったアプリケーションに「基盤モデル」として埋め込まれていきます。**ChatGPTのように、テキストでプロンプトを手入力する時代はもうすぐ終わるのかもしれません。**

プロンプト・エンジニアリングは、コンピュータの歴史で言うと CUI（Character-based User Interface）にあたります。かつては、キーボードでコマンドを入力してコンピュータを操作していました。

　1990年代になると、Mac や Windows が普及して GUI（Graphical User Interface）が普及し、大半の人はマウスやタッチスクリーンでパソコンを操作しています。しかし、コンピュータを高度な目的で正確に操作したい場合は、いまだに CUI が必要です。

　プロンプト・エンジニアリングは「基盤モデル」と直接対話する方法です。

　こうした知識は、今後ますます「一歩進んだ使い方」をするのに必要とされていくでしょう。

■ 同じ質問をしても違う回答が返るのが生成AI

　確率的に答えを生成する ChatGPT は、同じ質問に対していつも同じ回答をするわけではありません。

　その前の会話の文脈も、その後の回答内容に大きく影響します。

　本書では私が実際にやって、うまくいったプロンプトを紹介していますが、読者の皆さんが同じものを入力しても、うまくいくとは限りません。本書で紹介した事例も、何度かのやり直しやダメ出しをして辿り着いたものもあります。ですので、皆さんもあきらめずトライしてみてください。

■ 生成AIはあなたの鏡

　AI が間違う、嘘を言う、妄想する、と文句を言う人がいますが、それは的外れです。

　「頭がいい上司はあなた」で、「AIは部下」なのですから。

　部下の間違いはあなたの責任です。上司は部下の能力を把握して、間違わない指示を与えなければなりません。

自分の専門分野で生成AIの使用に慣れてくると、最初の頃に悩まされた**妄想（ハルシネーション）と遭遇することが少なくなります。**

　AIの適性を見極めて間違う余地のある指示（プロンプト）を書かなくなるからです。

　生成AIは学習したビッグデータから情報を引き出します。その情報を使って、あなたは自分の頭の中から、知識を引き出します。生成AIはあなたの知識や能力を反映する鏡のようなものだと考えましょう。

　できる上司のように、常に明確な目的と方向性を意識することも大事です。

　なお、本書では「ChatGPTをダウンロードして、次は〜」というような基本的なノウハウは掲載していません。**その代わりに、実際にChatGPT & Copilotをどう使えば仕事の時間が3分の1に削減できるかをお伝えしていきます。また、有料版のChatGPT Plusをもとにお話ししています。**

　この本を手に取ったあなたは、すでに生成AIという新時代の波に乗る準備ができています。

　しかし、ただ乗るだけではなく、この波を自分のものにし、さらに大きな波を生み出すための知恵と技術を、ここから学び取ってください。**この本を読み終わる頃には、あなたの仕事や日常生活が想像以上に変わっているはずです。**

　それでは、「頭がいい人のChatGPT & Copilotの使い方」を一緒に学んでいきましょう。

著者

Contents

CHAPTER 0
頭がいい人の
ChatGPT&Copilotの使い方

CHAPTER 1
ChatGPT&Copilotの基礎知識

CHAPTER 2

思考を補助してもらう

CHAPTER 3 企画書を作ってもらう

CHAPTER 4 プレゼンに活かす

CHAPTER 5　データ分析を手伝ってもらう

CHAPTER 9 カスタムAIのGPT Builder

CHAPTER 10 さまざまな生成AI

ブックデザイン	山之口 正和＋齋藤 友貴（OKIKATA）
ＤＴＰ・図版	石山 沙蘭
編 集 協 力	庄子 錬
協　　　　力	高木 利弘

頭がいい人の ChatGPT&Copilot の使い方

頭がいい人はなぜ ChatGPT & Copilot を使うのか

ChatGPT & Copilot は、こんなことまでできる！

ChatGPT や Copilot を活用すれば、これまで人間が 1 つひとつ対応していた面倒なことや時間のかかる作業が、まるで魔法のように一瞬で完了します。

ここでは、ChatGPT を想定した具体例を挙げます。

これまで、気になるキーワードや知りたいテーマを Web 検索する場合、以下のような手順を踏むのが一般的でした。

（1）Google や Yahoo! などといった検索エンジンを立ち上げる

（2）ほしい情報が得られそうなキーワードを決める

（3）キーワードを検索窓に入力する

（4）検索結果を見て、求める情報が掲載されていそうなページを選ぶ

（5）ページの中身を熟読し、求める情報を探す

（6）求める情報が得られるまで、（2）〜（5）、もしくは（4）〜（5）を繰り返す

普段何気なく行っている Web 検索を分割してみると、実に 6 ステップに及ぶことがわかります。

特に時間がかかるのは（4）と（5）でしょう。Web 検索に慣れている人や、知りたいテーマに精通している人ならば、すぐに答えにたどり着けるでしょうが、そうでないと意外と時間を取られてしまうものです。

一方、ChatGPTであれば、以下の4ステップで済みます。

（1）ChatGPTを立ち上げる

（2）質問を入力する

（3）ChatGPTの答えを読み、求める情報を探す

（4）求める情報が得られるまで、（2）〜（3）を繰り返す

たとえば、部下との1on1のコツを知りたいとしたら、次のようにそのま**「部下との1on1のコツの要点を短く5つほどにまとめて教えてください」**と、ChatGPTに質問すればいいのです。下図のようにシンプルに答えてくれます。

User 部下との1on1のコツの要点を短く5つほどにまとめて教えてください

GPT 部下との1対1のミーティングを効果的に行うためのコツを5つにまとめますと：

1. **準備と計画**：事前に話す内容や議題を準備し、部下も事前に考える時間を与える。目標は明確にし、話すポイントを絞る。

2. **リスペクトと信頼**：部下の意見を尊重し、オープンなコミュニケーションを心がける。信頼関係を築くために、正直かつ建設的なフィードバックを提供する。

3. **聞く姿勢**：話を聞くことに重点を置き、部下の意見や感じていることを理解する。質問をし、部下が自由に話せる環境を作る。

4. **目標と成果の確認**：目標に対する進捗状況を確認し、必要に応じて支援やリソースを提供する。成果を認め、励ましを与える。

5. **アクションプランの策定**：ミーティングの終わりには次のステップや行動計画を確認し、合意を形成する。具体的な期限や目標を設定する。
   これらのポイントを実践することで、部下との1対1のミーティングをより有意義で生産的なものにすることができます。

明確で具体的な質問であればあるほど、すぐに明快な答えが得られるため、Web検索に比べて格段にスピーディーです。

さらに**ChatGPTの場合、キーワードを与えて指示すると、そこからどんどん作業を進めてくれます。**キーワードをもとにリストを作り、そのリストをもとに表を作る。その後、各表の中に記載する内容を生成する……といった作業も簡単にできます。これは従来のWeb検索では実現できなかったことです。

文章作成

　ビジネスパーソンの仕事の大半は、メールや報告書、企画書など、「考えをまとめて文章を作ること」だと言えるでしょう。

　ChatGPTに原案を作ってもらえば、時間を節約しつつクオリティの高い文章を作成できます。たとえば、「初めて商談をした相手に対するお礼メールを500字程度で書いてください」とお願いしてみます。すると、以下のように返してくれます。

User 初めて商談をした相手に対するお礼メールを500字程度で書いてください

GPT もちろんです。以下に、初めての商談をした相手に向けたお礼メールの例文を記載します。

件名：本日の商談に関するお礼

[受信者名様]
お疲れ様です。[あなたの名前] と申します。
まずはじめに、本日は貴重なお時間を割いていただき、誠にありがとうございました。[あなたの会社名] にとって、[受信者の会社名] 様とのこのような機会は非常に意義深く、有益なものでございました。
本日の商談では、[受信者の会社名] 様のご要望やビジョンを深く理解することができ、私たちの提 案がどのように貴社の目指す方向性に寄与できるかについて、具体的なイメージを持つことができました。[受信者の会社名] 様からの貴重なご意見やご指摘は、今後の提案の改善に大いに役立つ ものと確信しております。
今後とも、お互いが win-win の関係を築けるよう、精一杯努力してまいりますので、今後のご縁を心 より楽しみにしております。 次回の商談の日程についても、ご都合のよい時期を教えていただけますと 幸いです。
改めまして、本日はありがとうございました。引き続きどうぞよろしくお願い申し上げます。
敬具

「職場の50周年記念のパーティーの告知メールを作成してください」とプロンプトに入れると、以下のようなメール文をすぐに用意してくれます。。

User 職場の 50 周年記念パーティー告知メールを作成してください

GPT 了解しました。職場の 50 周年記念パーティーの告知メールの例を作成します。以下の例を参考に、必要に応じて内容を調整してご使用ください。

件名：【重要】当社創立 50 周年記念パーティーのご案内

皆様へ

お世話になっております。[会社名] の [あなたの役職名前] です。

この度、当社は創立 50 周年を迎えることとなりました。これもひとえに皆様の日々の献身的な努力とご支援の賜物と心より感謝申し上げます。この大切な節目を祝うべく、記念パーティーを以下の通り開催いたします。

■日時：[日付] [時間]
■場所：[会場名] ([会場の住所])
■ドレスコード User [ドレスコードについての説明 (あれば)]
■「内容：歓談、食事、表彰式、記念講演、エンターテイメントなど

当日は、当社の歴史を振り返るとともに、これからの更なる発展への決意を新たにする機会としたいと思います。また、特別ゲストとして [特別ゲストの (あれば)】をお招きし、[特別ゲストの関連情報やプログラム詳細 (あれば)] を予定しております。

さらに、「私の職場はかんき出版です。開催日は7月1日　会場はかんき出版セミナールーム　カジュアルな文体で」とお願いすれば、以下のように、カジュアルな文体にアレンジしてくれました。

GPT 了解しました。かんき出版様の50周年記念パーティーの告知メールを、指定された詳細情報をもとに カジュアルな文体で作成いたします。

件名：かんき出版、50周年だよ！みんなでお祝いしよう

みなさん、こんにちは！

かんき出版の [あなたの名前] です。 今日はすごくワクワクするお知らせがあります。
なんと、かんき出版が創立から50年を迎えるんです！すごいですよね。 これもみんなのおかげです。ありがとう！
そこで、この大切な節目をみんなでお祝いしようと思って、パーティーを企画しました！

パーティーの詳細 &
・日時：7月1日
・場所：かんき出版セミナールーム
・服装：カジュアルで OK!

この日は、楽しい時間を過ごしながら、かんき出版れまでとこれからを一緒に考えましょう。軽食や飲み物も用意して、楽しい時間を過ごせるようにするので、ぜひ来てくださいね！

その他、**謝罪文を ChatGPT に書いてもらって精神的な負担を軽減する、自分がざっくり書いた文章を ChatGPT にチェックしてもらって、ブラッシュアップする**といった活用法もあります。

データ分析

ChatGPT なら、データ分析も簡単です。
「このデータの中から、顧客の購買動向など？ について興味深い事実を7個発見してください」「1つ目の指摘を円グラフにしてください」
このように、データのアップロードと作業指示のみを人力で行えば、残りは ChatGPT に任せればいいのです。

本来なら経験や知識が必要だったり、経験や知識を有している人でも面倒に感じてしまったりするようなデータ分析も、ChatGPTなら難なくこなすため、気軽に有益なヒントが得られます。

　またChatGPTは人間ではないので、納得がいくアウトプットが得られるまで、何度もやり直しを指示できるのもメリットです。

資料作成

　思考をビジュアライズして資料に落とし込むのも、意外と時間と手間がかかるもの。そんな作業もChatGPTならあっという間にクオリティの高いものを作ってくれます。

ブレインストーミング

　ChatGPTはブレーンストーミングの壁打ち相手としても非常に優秀です。

　たとえば、「挨拶の重要性をアピールする20字以内のキャッチコピーを100個出してください」「札幌市の魅力を50個挙げてください」「札幌市の魅力をPRするマスコットキャラクターを10種類挙げて、それを絵にしてください」などにも応えてくれます。

　人間であれば、どんなに得意な人であっても、キャッチコピーを100案出したり、対象物の魅力を50個挙げたりするのは辛いもの。一方、**ChatGPTであれば、瞬時に多くの情報を調べて、大量のアイデアを出してくれます。**

　人間の場合、ここまでタフで優秀なアシスタントを見つけ出すのは至難の業でしょう。

　私たちは、ChatGPTが挙げてくれた大量の案のうち、特にクオリティの高いものをピックアップしたり、それらをアレンジして完成度を高めたりするだけでよいのです。

要約やコメント、添削など

　文章を読んでそれを要約したり、添削したり、適切なコメントをつけたりするのは、得意・不得意が分かれる作業です。とはいえ、特に管理職クラスになると、部下の作成した文章にコメントする機会は多くあります。

　そんなときは、対象となる文章をChatGPTにコピー＆ペーストして、自動で作業してもらいましょう。

　あなたがすべきは「この文章のよい点を3つ、改善点を3つ見つけて、それぞれ150字以内で教えてください」「この文章を300字程度に要約してください」と指示することだけです。

　以上のように、ChatGPTを使えば、時間がかかる作業や気の重い作業もあっという間に完了できます。

　作業の部分はChatGPTに任せて、自分は本当に重要な業務や頭を使う仕事に時間を割く。

　——これこそ、ChatGPT時代の「頭のいい人」の働き方なのです。

仕事の生産性が上がる

何かと(What)とやり方(How)の情報収集

ChatGPTは生産性向上のツールです。具体的には情報収集、情報分析、資料作成の3段階を強力に支援します。

情報収集には、(1)何かを調べさせる、(2)やり方を調べさせる、という2つの使い方があります。

あるシンクタンクの調査によると、平均的なオフィスワーカーは1日に1.6時間を調べ物に費やしているそうです。

企画書を作るために基礎となる数字や過去の事例を調べたり、営業訪問先のWebサイトをよく読んで準備したり、技術者がコードを書く前に最新の技術情報を確認したり……。こうした調べ物にかかる時間を半減させ、集める情報の質を高めるのが生成AIです。

たとえば今、私はCopilotに「調べ物をしている時間の長さ、割合」というプロンプトを入れました。すぐにWeb検索が行われて「ホワイトカラーの労働者が調査や情報収集に費やす時間に関するデータは、以下の通りです」で始まるレポート形式の回答がありました。情報源のURLもついていました。オウケイウェイヴ総研（所在地：東京都渋谷区）が、全国の会社員1000名を対象に2019年に調査したデータでした。

続けて「具体的には何の調べ物をしている時間が長いのか」と尋ねると、別の情報源をもとにして、「ホワイトカラーの労働者が多くの時間を費やし

ている作業」について次の回答を出してくれました。

GPT **データ分析**：ビジネスの意思決定に不可欠なデータを収集し、分析する作業です。

市場調査：製品やサービスの市場動向を理解するために行われます。

競合分析：競合他社の動向を把握し、自社の戦略を立てるための情報を集めます。

技術研究：新しい技術やトレンドに関する最新情報を調べ、企業の技術革新に役立てます。

法律関連：法規制の変更や新しい法律に関する情報を収集し、企業のコンプライアンスを確保します。

経済動向：国内外の経済情報を収集し、ビジネスのリスク管理や戦略策定に活用します。

　AIは前の質問を覚えておき、文脈に沿って関係する情報を集めることができるので、Web検索で毎回キーワードを考えて打ち込むより圧倒的に早く作業が進みます。

回答を文章形式で得られるため、そのまま資料などに使えるのも強みです。

やり方を調べて実行させる

何か（What）だけでなくどうやるか（How）を調べるのも得意です。
右ページの図は【○○を作る手順を図にして】で出力した表です（GPTsの Diagrams:Show Me を使用）。ChatGPTはさまざまな手続きと手順を学習していることがわかります。豆腐、半導体、カレー、テレビ、発泡スチロール、ガンプラ（ガンダムのプラモデル）、豆腐、真空管、国家、ChatGPT、iPhone、南部せんべい……あらゆるものの作り方を知っています。豆腐作りにはにがりが必要なことや、南部せんべいは米粉ではなく小麦粉から作ることも知っているのです。

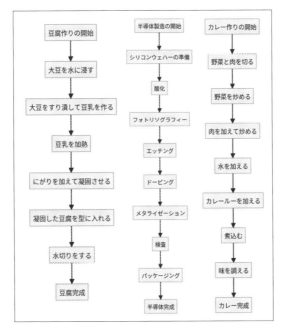

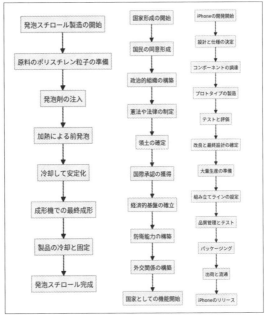

27

中には手順をChatGPTに作業させることが
できるケースもあります。たとえば、iPhoneの
作り方のフローには「設計と仕様の決定」と
いう大きなプロセスが含まれていました。そ
こで「設計と仕様の決定の手順を図にして」
と依頼すると、さらに右のフローに細分化さ
れました。

　**手順を調べたうえで、その実行までできるこ
ともChatGPTの強みです。**たとえば、「iPhone
の市場調査をして」と指示すると、iPhoneの市
場に関する情報を集めてきます。
　その後に続く「ターゲットユーザーの特定」
や「競合分析」といった項目もChatGPTに任せ
ればOKです。作業手順を小さく分け、ChatGPT
にできそうなタスクにすることで、ホワイトカ
ラーの仕事を劇的に効率化できます。

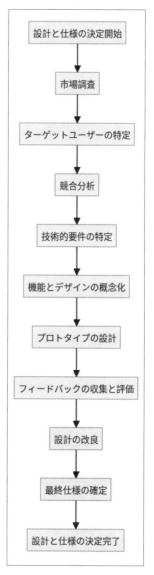

iPhoneの使い方のフローで、「設定
と私用の決定の手順を図にして」と
依頼して出てきたもの

28

誰でもデータサイエンティストのように分析ができる時代

ChatGPTは収集した情報をデータサイエンティストのように分析することができます。

人間の作業は、データのファイルをアップロードして分析を依頼するだけです。

たとえば、先日、統計局が2023年度家計調査の最新版を発表しました。このデータは、2020年度のデータと比較すればパンデミック前後の消費の変化が見えてくるという興味深いものでした。このExcelのファイルをChatGPTにアップロードして「2020年と比較して変動が大きな10項目を抽出して」と命じると、こんな回答がありました。

GPT　2020年と比較して2023年に変動が大きかった上位10位の項目は以下の通りです：

航空運賃：変動率は約299%
外国パック旅行費：変動率は約243%
遊園地入場・乗物代：変動率は約183%
他の交通：変動率は約182%
旅行用かばん：変動率は約151%
スポーツ観覧料：変動率は約150%
映画・演劇等入場料：変動率は約147%
旅行：変動率は約145%
宿泊料：変動率は約141%
パック旅行費：変動率は約140%

これらの項目から、特に旅行とエンターテイメント関連の費用が顕著に増加していることがわかります。消費者のレジャー活動への支出意欲の増加や、旅行業界の価格動向など、複数の要因がこのような変動に寄与している可能性があります。

さらに「これらの10項目の経年変化を読みやすいグラフにしてください」と指示すると、きれいなグラフが出力されました（後で解説しますが、日本語でグラフを作成してもらうために、事前にフォントのデータをアップロードしておきました）。

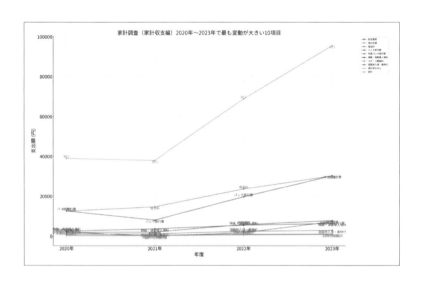

　この分析結果を受け取るまで、グラフ作成後に、"念のための確認"としてデータにあたりはしましたが、私は一度もデータそのものを見ていません。

データの概要がわかっていれば、「こんな分析をしてほしい」と言葉で指示するだけでいいのです。

　ChatGPTはデータ分析でありがちな欠損値や異常値にも柔軟に修正できますし、多彩なグラフを作ってもくれます。データサイエンティストをあなた専用に雇ったようなものなのです。

文章や図表のみならずPowerPointや
動画資料もおまかせ

後の章で紹介していきますが、ChatGPTのアウトプット形式は文章だけではありません。ちょっとしたコツは必要ですが、**グラフや図、イラストのような画像生成もしますし、動画、音声、映像でのアウトプットも可能です。Word**や**PowerPoint、Web**ページ（HTMLとJavaScript）、**Python**や**Java**や**C++のようなプログラムも出力できます。**

たとえば、先ほどの家計比較表は、「このレポートをグラフを含めて読みやすいWordファイルにしてください」と依頼すれば、Wordで出力されました。

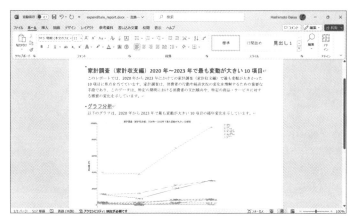

GPTs（カスタムAI）の機能を使うと、さらにリッチなフォーマットで資料が生成できます。ここではGPTsのDoc Makerを呼び出して「以下の内容をプレゼンファイルにして」と指示すると、PowerPointファイルが生成されました。これを草稿としてブラッシュアップしていけば、十分に使える資料になるでしょう（ちなみにMS Office 365を使っている人は、Copilot Pro［有料版］と併用することで、PowerPointそのものに生成AIの機能を持たせることもできます）。

本書 5-2 「統計のデータ分析をしよう」の例のように、図表と原稿を使って美しいWebページを作成することも可能です。

　HeyGenというGPTsを呼び出して「この内容をナレーターが朗読する映像にして」と依頼すると、本書 4-2 「スピーチ原稿を作らせ、話してもらう」のように、ナレーターがレポートを読み上げる映像が生成されます。

　Visla Video MakerというGPTsを呼び出して「この内容をニュース番組の映像にして」と指示すれば、内容に合わせた画像を背景にして字幕を表示する、ニュース番組のような映像が出来上がります（このGPTsは日本語音声未対応のため、字幕のみ）。

　ChatGPTはこのように、情報収集、情報分析、資料作成を一気通貫で担うことができます。リサーチャー、データサイエンティスト、デザイナー、ナレーター、映像プロデューサー、プログラマー、といろいろな役割をこなせるのです。

　うまく使えるかどうかは、あなたのアイデアとプロンプトの書き方次第です。

ChatGPTで私たちの生活はどんなふうに変わっていくのか？

仕事の要求レベルが上がる

　今や私たちが当たり前に使っているパソコンは、Windows 95の発売以降、一般に普及しはじめて、10年ほどすると誰もが使うものになりました。

　携帯電話やインターネットも同様で、感度の高い初期ユーザーが使い始めてから一般に浸透するまで10年くらいかかりました。

　その10年の間、パソコンをいち早く使った人たちは、そうでない人たちよりも生産性を高め、成果に差をつけることができました。でも、1人1台が当たり前の時代になると、他者と差をつける道具ではなく「全員が使えて当たり前のツール」になりました。

「AIに人間の仕事が奪われる」と心配する意見があります。実際、過去にパソコンやインターネットの導入によって消えていった仕事はたくさんありました。しかし新しく生まれた仕事も同じくらいか、それ以上にあったことを見過ごしていないでしょうか。

　情報収集、データ分析、資料作成の時間短縮と品質向上により、生成AIを使う人とそうでない人のパフォーマンスは顕著になっていくはずです。パソコンとインターネットを使わないで仕事をする人はどうしても取り残されてしまうでしょう。

　仕事の要求レベルが上がることも強調しておきます。かつて手書きの資料

とパソコンで作成した資料が混在した時期がありましたが、すぐにきれいな
パソコンの資料が当然の時代になりました。同じように、生成AIの支援を
受けて作った品質の高いアウトプットが常に期待されるようになるはずで
す。

　**生成AIはあらゆるツールに埋め込まれていき、誰もが簡単に使えるよう
になっていくでしょう。しかし、そうなったらもはや差はつきません。**
　これからの5～10年の普及期が、他者と差をつけたい人にとって生成AI
を学ぶチャンスです。いつやるのと聞かれたら、有名な予備校の先生のよう
に「今でしょ」が答えなのです。

AIの侵略に「聖域」はない

「人間にしかできないことは何だろう？」はよくある問いですが、この10
年間、AIは人間にしかできないと思われていた能力を次々に獲得していま
す。
　**たとえば、思考力です。考えるという行為はこれまで人間の専売特許だっ
たのに、生成AIのアウトプットに置き換えられる可能性を見せています。**

　創造力もそうですね。生成AIは企画やキャッチコピー、ブレインストー
ミングのパートナーとしても優秀ですし、画像や音楽、映像を生成すること
もできます。AIによって生成された絵画は世界中でコンテストに入賞するほ
どのレベルに到達していますし、生成AIの書いた小説が文学賞を獲得した
こともあります。2024年2月に芥川賞受賞が発表された『東京都同情塔』（九
段理江著／新潮社）においても、執筆の過程で生成AIが使われたことで話題に
なりました。

　コミュニケーションやリーダーシップも、これからは生成AIが担うでしょ

う。会議のファシリテーションをするAIや経営を分析して次の施策を提案する経営コンサルタントAIがすでに登場しています。

　私たちはやがて、私情を挟まず、いつも冷静で、公平で、倫理的な判断をするAIに意思決定を任せるでしょう。

　最後の砦のはずの思いやりや人間らしさだって、今後どうなるかはわかりません。すでに生成AIは心の理論（他者の心理を推し量るメカニズム）の問題に、一部ながら正答できるようになりました。他者の機微に鈍い人よりも、人間の胸のうちを正しく推測できると言っていいでしょう。

カウンセリングするAIも多方面で実用化されています。AIの“侵略”に聖域はないと考えたほうがいいと思います。

■AIの侵略に聖域はない

人間の生存戦略はAIと共同すること

思考力　想像力　リーダーシップ　コミュニケーション　思いやり　人間らしさ

そんな時代における人間の生存戦略は、AIと共同して階層を上げていくことです。

　つまり、クリエイターはディレクターレベルの仕事を、ディレクターはプロデューサーレベルの仕事を、プロデューサーはエグゼクティブプロデューサーレベルの仕事をこなせるようにするのです。

　いわゆる「雑務」は生成AIがすべて代替してくれるため、「下積み時代」や「アシスタント」は必要なくなり、本質的な業務に時間と労力を割けるようになります。

　これまでは「人間 vs AI」とされていましたが、実際のところ、AIと戦う人はいません。電卓と張り合う人がいないのと同じことです。

　今後はそれよりも「人間＋AI vs AI」や「人間＋AI vs 人間」となり、AIを味方につけて自分の能力をパワーアップさせ、より大きなアウトプットを創出する時代なのです。

　そして最終的には、全ビジネスパーソンが自然とAIを使いこなせるようになり、「人間＋AI vs. 人間＋AI」の時代がやってきます。**AIを味方につけて、1つ上の視点を持つことが人間の役割だと言えるでしょう。**

ChatGPT &Copilotの 基礎知識

生成AIの仕組み

生成AIとは何か

　ここからは、ChatGPT&Copilotとはどんなものかをお伝えしていきます。**生成AIはインターネットを中心に膨大な量の情報を学習したAIです。**

　これまでのAIと異なり、プログラムされたルールや知識データベースに従って答えを得るのではなく、確率計算で答えを「生成」するのが特徴です。

　たとえば、大規模言語の生成AIとして代表的なChatGPTに「日本の首都は？」と問いかけると「東京です」と答えるでしょう。

　これは学習したデータに「日本の首都は東京です」という言葉のパターンが多かったからです。学習したデータの中には、歴史の文脈で「日本の首都は江戸でした」とか「京都でした」というパターンもあったかもしれませんが、確率として顕著に高いのは東京です。

　そのため、東京と答えます。

■「次に来る単語」を確率で予測する

日本に続く単語の予測

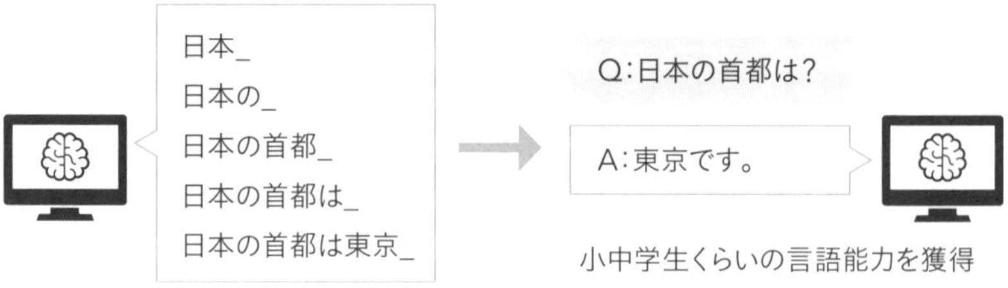

```
日本_
日本の_
日本の首都_
日本の首都は_
日本の首都は東京_
```

Q:日本の首都は？

A:東京です。

小中学生くらいの言語能力を獲得

生成AIは数万次元という人間の想像が及ばないレベルで、言葉のパターンを学習しています。

数千語で構成される長い文章があったとします。生成AIはすべての単語の出現回数、他の単語と並ぶ確率、出現する配置のようなパターンを数値にして行列化し、高次元の地図としてデータ化しているのです。

この地図を使うと、ある単語に近い単語が見つかります。近い単語を次々に並べていくと、不思議なことに人間が考えたかのような言葉の並びが形成されます。

ChatGPTは、GPT-3のバージョンにおいて、すでに45テラバイトのデータを学習したと言われています。これはおよそ45億冊の本を読み、約4兆の単語を学習したようなイメージです。 このような規模で学習すると、AIは文法も辞書も与えられていないのに、同時に出現する確率が高い言葉を並べて出力できるので、流暢に自然言語を話しているように見えるのです。

さらに、ChatGPTは多言語で学習したため、メジャーな言語はほぼすべて母国語のように操れます。

ここまでの学習を「事前学習」と呼びます。

GPTとは

GPTはGenerative Pre-trained Transformer（生成的事前学習済変換プログラム）**の略です。** 事前学習はP（Pre-trained）の部分に当たります。事前学習という「初等教育」の後、人間の教師がGPTに「高等教育」を施すファインチューニングというプロセスがあります。

そこでは中学を卒業したレベルのChatGPTにさまざまな質問をして、その回答の精度を人間が採点します。こういう質問にはこう答えるとよいという評価軸の載った教科書を人間が作ります。

そして GPT はその教科書を何万回も読み込んで、回答の仕方を洗練させるための「強化学習」を行います。この過程で、倫理も教え込まれ、不適切な回答を出さないよう教育されます。こうして一人前の AI が世に出ていきます。

　言語と常識を初等教育で覚えて、高等教育でブラッシュアップする、人間の学習過程と少し似ています。

アテンションとエンベディング

ChatGPTが賢い理由

　この本は技術書ではないので深く技術に立ち入りませんが、ChatGPTが賢い理由であり、ユーザーが知っていると役に立つことがあるアテンションとエンベディングという仕組みだけご紹介しましょう。

　ChatGPTはユーザーが入力した文章をまず数値行列（ベクトルデータ）に変換します。どんな単語がどんなパターンで使われているかを数値化したものです。

　このときにChatGPTはすべての単語同士の関係を計算に含めます。慎重にすべての単語に注意（アテンション）を払っているのです。このやり方は計算量が膨大になるのですが、ChatGPTはトランスフォーマーというプログラムの構造とマシンパワーで高速処理を実現しています。

　次にこのベクトルデータを座標として、ユーザーの入力文章を内部の地図の上に配置します。**配置することをエンベディングと言います。**

　この地図には、事前学習で大量の単語がすでにエンベディングされていますから、位置が決まれば必ず近くに何らかの単語が見つかります。

　たとえば、**ユーザーが入力した「日本・の・首都は」という文章の近くに「東京・です」が見つかるのです。**

　この地図をわかりやすく二次元の地図として見せてくれるAttention Viz
（ https://attentionviz.com/ ）というサイトがあります。

　興味のある方はご覧ください。人間の脳のような空間に単語がエンベディ

ングされ、単語間がアテンションで結ばれている様子を確認することができ
ます。

■なぜGPTは賢いのか

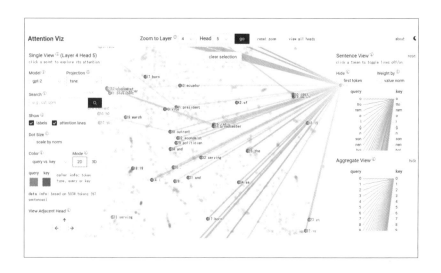

アテンション・アルゴリズム

次の単語を予測する際に、直前の単語だけではなく、
他のすべての単語に注意を払って予測するから

　文章を数値行列に変換する際には、言葉の並びは柔軟に処理されます。
　**たとえば、「日本の首都は」も「日本の首都というのはさ」も「ニッポン
の首都、それは」もだいたい同じとみなされます。**
　英語で書いても同じです。多少、言い方が違っても、構成する要素が似
ていて、言いたいことが同じならば、近い場所にエンベディングされます。
だから**ChatGPTを使う際にはあまり細かい表現は気にしなくても大丈夫で
す。**多少の誤字があってもちゃんと動いてくれます。

プロンプトを書く際に意識すること

ところで、「英語で書いても同じです」と書きましたが、ChatGPTは日本語を英語に翻訳して処理しているわけではありません。

多言語で学習したChatGPTの内部では、言語の壁を越えて高次元の地図が作られているため、日本語の指示によって英語の情報を引き出すことも可能です。

ただし、後ほど詳しくお伝えしますが、英語による学習量のほうが圧倒的に多いため、英語で質問し、英語で回答してもらったほうが精度は高いです。

プロンプトを書く際には、細かな言葉遣いより、ちゃんと必要な要素が含まれているかを意識してください。
私はX=10,Y=5のように、地図上の座標を指定するイメージでプロンプトの文章を書いています。実際には座標軸はXとYの2つだけではなく、たくさんあるのですが、重要な要素を押さえていればいいでしょう。

また、不必要な要素が紛れ込んでいると座標指定の精度が狂うため、余計な言葉を入れないことも重要です。「できる上司が部下に与える、簡潔ながら完璧な指示」をイメージするといいでしょう。

有効なプロンプトとは

プロンプト・エンジニアリング

ChatGPTなど生成AIへの指示を工夫することをプロンプト・エンジニアリングと言います。

　生成AIの世界は進化が速く、効果的なプロンプト・エンジニアリングも日々、変化しています。将来的にはChatGPTは、アプリケーションに埋め込まれて、ユーザーがプロンプトをタイプしなくても、環境からユーザーの意図を読み取って、自動的にほしい結果を出力するようになっていくでしょう。しかし、当面は人間が効果的なプロンプトを書く必要があります。

　ここでは、今の時点で効果的なプロンプト・エンジニアリングのコツを解説します。

確実性が高いシンプルなプロンプトをつないで 複雑な作業をさせる

　「このデータを分析してデータを美しいグラフにして分析に基づく提案をWordファイルで生成しなさい」のような複雑なプロンプトは、「データを分析して」「分析のグラフを作成して」「グラフを美しくして」「分析に基づいて提案を書いて」「この提案をWordファイルにして」というシンプルなタスクの複数回のプロンプトに分割したほうが賢いです。

　複雑なプロンプトは、シンプルなプロンプトと比較して結果の確実性が低くなります。最初のデータの分析タスクが間違っていたら、グラフもおかしくなり、提案もおかしくなります。

各タスクの精度が70％だとします。10回実行すると7回完璧な答えがもらえるプロンプトです。この3つのタスクを実行すると70％×70％×70％で34％という精度に落ちてしまうのです。

シンプルなタスクを実行させて完璧な100％の回答もらったら、そのデータをもとにして次のシンプルなプロンプトにつないでいく。

100％は何回かけ算しても100％です。それに複雑なプロンプトはどこが悪かったのか検証がしにくいのです。シンプルなプロンプトは修正が容易です。

はじめてやらせる作業では、シンプルで確実なプロンプトのパイプラインを作ることを心がけましょう。

頭がいい人のプロンプトの書き方

この本の執筆時点では、ChatGPTがPythonの機能を呼び出すデータ分析機能で、グラフ作成時に日本語が文字化けすることが多くあります。

手持ちの日本語フォントをアップロードし「グラフを作るときにはこの日本語フォントをアップロードしてください」と指示することで文字化けの確率を下げられます。

フォントをアップロードしても、文字化けが発生することがあります。**そんなときには「文字化けしてます。別のフォントの設定方法で再度作成してください」と指示すると、うまくいくことがあります。**Pythonのフォント指定方法は複数考えられるからです。

フォントはWindowsやMacにインストールされているフォントを使用してもいいのですが、フォントにも権利関係があるため、**私はオープンフォントライセンスで商用も可能な、グーグルのNoto Sans Japaneseフォントを利用しています。**

Noto Sans Japanese
https://fonts.google.com/noto/specimen/Noto+Sans+JP

それから文字化けとは少し違いますが、ChatGPTでは、「グラフを作成して」と指示したときに、Pythonではなく、DALL-Eが起動してデタラメなグラフ画像を生成してしまうことがあります。

　これを避けるには**「DALL-EではなくPythonのグラフ描画機能を使って」とかよりテクニカルに「Pythonのmatplotlibを使ってグラフを作成して」のような頼み方をするとよいでしょう。**

　また、ChatGPTは、英語で使用したときのほうが精度が高く、入力、出力できる文章量も多くなります。文章量という点ではおよそ2倍から3倍も違っています。**英語が得意という方は、設定を英語にして英語で使用することをおすすめします。**ある程度複雑な同じ質問を英語と日本語でしてみると、その違いに気がつかれると思います。

　基本的にChatGPTは日本語や他のメジャー言語が話せるアメリカ人です。日本語で「ジョークを作って」と指示すると、しばしばアメリカンジョークを日本語で返します。また、**ChatGPTは翻訳も得意です。**

　難しい作業や長文の生成をさせるときには、英語で指示を行って、最後に日本語に翻訳させると、より質の高い結果が得られることが多いのです。

　ChatGPTのウィンドウを2つ立ち上げておき、片方は日本語で書いたプロンプトを英語に翻訳して、もう一方にコピー＆ペーストするというやり方も使えます。

　その場合は、時間あたりの回数制限がない無料版のGPT-3.5を翻訳に使用するとよいでしょう。

15回くらいやりとりしたら新しいセッションに変える

　ChatGPTは、同じセッションの一連の会話を記憶して、次の質問に答えます。

　この一時記憶機能があることで、会話の文脈が保持されて、とても便利に

使えます。GPT-4では日本語で約2万字程度を記憶する性能があるとされています。一度に出力できる文章量は、日本語で最大で800字くらいと考えましょう。

この計算だと原理的には25回対話を繰り返すと、それ以前の内容を忘れていきます。実際にはもう少し早いようです。

それから質問を試行錯誤すると、最終的に採用した流れでは必要がないやりとりの情報も記憶してしまいます。たとえば、前半では和食のレシピの話をしていて、後半では中華のレシピの話をしたとしましょう。

すると、いつのまにか中華の話に和食の話が混ざってくることがあるのです。

原則として1つのセッションは1テーマにするのが無難です。私の経験では同一テーマであっても15回くらいのやりとりでセッションを終えるのがよいと感じました。

新たなセッションを立ち上げると以前の文脈が失われます。前のセッションのまとめの内容をファイル化し、次のセッションでアップロード（短い内容ならペースト）して、その続きをしたいと指示しましょう。

ChatGPTは、結果をテキストやCSVなどのファイルに出力できます。

データ分析の出力結果は、JSONというデータ型を保持できる形式で入出力を行うとスムーズに進みます。

生成AIで「よく使うファイル」フォルダを作る

私はWindowsに「よく使うファイル」というフォルダを作成して、そこに前述の日本語フォントであるとか、文書に埋め込みたいロゴ画像、文書テンプレートなどを入れています。

こうしておくと必要になったときに、ChatGPTにアップロードが簡単にできます。

　この「よく使うファイル」のフォルダは、一時ファイル置き場としても使えます。データ分析の結果のCSVファイルや生成したグラフ、画像ファイルなどをダウンロードして、ここに置いておくといいでしょう

　セッションを変えるときに、前のセッションから引き継ぐデータもここに置いておくと便利です。

文章生成とデータ分析を意識して使い分ける

　ChatGPTは文章を生成するLLM（Large Language Models）**の機能と、Pythonを使ってデータ分析をする機能があります。** LLMとは簡単に言うと、大量のテキストを学習して、文章を作ったり、質問に答えたりする人工知能のことです。

　2つの機能は統合されていて、どちらもプロンプトの言葉で指示をできます。このシームレスなインタフェースは便利なのですが、混乱も招きます。

　たとえば、計算式を渡したとき、ほとんどの場合は、データ分析機能が呼び出されて、正しい計算結果が出力されますが、まれに計算をLLMのみで行おうとして間違った計算結果を出すことがあります。

　LLMは一般的な文章のパターンを出力しているだけですから、近い数字

が出るかもしれませんが、間違った結果を出すことがほとんどです。

　あるいは、アンケート結果の文章データと「このお客様の声を集計して」と頼んでみてください。

　ちゃんとデータ分析機能が起動したという表示が出ればよいのですが、出ない場合はLLMがいいかげんに処理をしています。件数が少ないとLLMでもうまくいくこともあるのですが、件数が多いと集計の数が間違っている可能性があります。

　あるいは、テキストファイルを与えて「この中に東京という単語は何度登場しますか」と聞くと、LLMではカウントを間違う可能性があります。

　計算やプログラム処理が必要な作業をさせたいときには、プロンプトに「Pythonを使って」というような指示を追加するといいでしょう。

Pythonの基本を知っている人はより上手に使える

　ChatGPTには非常に便利なデータ分析機能がありますが、これを使いこなすにはPythonの基本知識が必要です。そうでないと、ブラックボックスになります。

　ChatGPTをデータ分析に本格的に使いたい人はPythonを勉強してみることをおすすめします。

　データ分析機能が起動している場合は、Pythonコードの内容を見ることができます。知識があれば、コードを読んで正しい動作をしているかを確認できます。

　動作を修正したい場合は、Pythonの修正コードを直接プロンプトに入力して100％の確度で修正することができるのです（コードやライブラリをアップロードしてしまう荒業も可能です）。

ChatGPT の デー
タ分析機能が生成
した Python コー
ドは、回答の末尾
にマウスオーバー
して「分析を見る」
をクリックするこ
とで参照が可能

Pythonはさまざまなライブラリ（モジュール）を利用して、複雑な処理を行います。たとえば、グラフ機能では多数のライブラリが存在していて、ライブラリごとに出力されるグラフのデザインが異なります。

そこで各ライブラリの知識を持っていると、「seabornライブラリを使って棒グラフを作成して」というように、ほしいデザインのグラフを呼び出すことができます。

統計処理やマルチメディア処理も、Pythonコードやライブラリ名を直接プロンプトに記述できれば、自然言語で試行錯誤するよりもはるかに確実にやりたいことを実現することができます。

ただし、**ChatGPTでは大きなデータは分析ができません。**

アップロードできるサイズに上限があります。そのため、一回の処理時間が約２分程度でタイムアウトして失敗してしまいます。

たとえば、動くグラフの動画を作らせようとすると、秒数分の静止画を作成した後に、MP4などの動画ファイルに合成する処理が行われます。

静止画１枚の作成に使うサーバのメモリやCPUの資源にも限界があります。作成に失敗したら、「フレーム数と解像度を落として再挑戦して」のような指示も可能ですが、それでも上限はあります。

月額20ドル（約3,000円／2024年2月現在）のサービスですから、使えるのはそのレベルのコンピュータ資源だと理解すべきでしょう。

　ChatGPTのデータ分析の限界を突破するには、ChatGPTにデータ分析のPythonコードを書かせて、そのコードを外部のコンピュータで実行することができます。

　この場合は、扱えるデータの量に制限がありませんし、2分間でタイムアウトすることもありません。

　Pythonプログラミングの基本を覚えてこの使い方ができると、プロのデータサイエンティストとして働くことができます。

データ分析、画像認識と合成、 GPTs

こんなこともChatGPTはできる!

　ChatGPTは言語だけが取り柄ではありません。

　特に有料版のChatGPT Plusでは、言語の生成に加えて計算、高度なデータ分析、プログラミングやグラフ描画ができるAdvanced Data Analysis、画像認識や画像合成ができるDALL-E、外部の知識ベースやアプリケーションも利用してカスタムAIを開発できるGPTs機能を統合して、さらに高度な情報処理が可能になりました。

**　Advanced Data AnalysisとはChatGPTからプログラミング言語のPythonを呼び出して実行する機能です。**

　Pythonは汎用的なプログラミング言語ですが、特に統計計算やグラフの描画機能に定評があります。ChatGPTはユーザーの文章の指示に対して、内部でPythonのコードを書いて実行し、実行結果を表示するのです。実行結果は計算結果だったり、グラフだったりします。

　たとえば、「サイン・コサインのグラフを描いて」と指示すると、内部では瞬時にPythonでグラフを描くコードが書かれて実行されます。

　そして生成したグラフの画像と解説を回答として表示します。

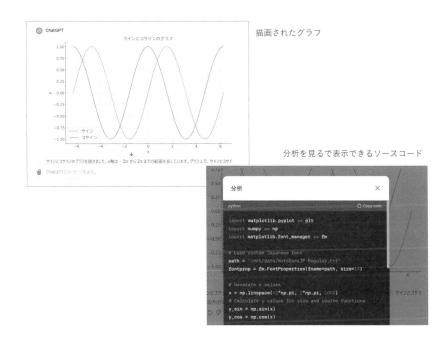

描画されたグラフ

分析を見るで表示できるソースコード

ChatGPTはデータファイルのアップロードを受け付けます。ExcelやCSVをアップロードして「このデータを分析して」「グラフにして」と言えば、コードを生成、実行して分析をしてくれたり、グラフにしてくれたりするのです。

プログラミングの知識がない人や高度な統計の計算ができない人であっても、指示するだけで期待したアウトプットが得られるため、データサイエンティストの失業を心配する人もいるほど。**ただ、プログラミングや統計の知識がある人は、Advanced DataAnalysisをさらにうまく活用できます。Advanced DataAnalysisはアマチュアもプロにも大きな利益があるのです。**

DALL-E

ChatGPTにはテキストを処理する機能だけでなく、画像を処理する機能があります。**この機能のエンジンになるのは、ChatGPTの会社である**

OpenAIが開発している世界最高レベルの性能を持つDALL-Eという名前の画像生成AIです。

たとえば、料理の写真をアップロードして「この写真の料理のカロリー計算をして」と頼めば、瞬時に料理が特定されて、カロリーが出力されます。「この写真に写っている車の台数を数えて」だとか「このグラフでおかしなところを教えて」のような質問もできます。

画像の合成機能も強力です。たとえば、最初に「○○県○○市のマスコットキャラクターの企画書を作成して」と頼むと、地域の魅力を盛り込んだ企画書がテキストで出力されます。

この後さらに「この企画書をベースにしてマスコットキャラクターの画像を描いて」と頼むとDALL-Eが呼び出されて、マスコットのキャラクターを表示します。

さらに、「眼鏡をかけて」とか「ガッツポーズで」と頼めば、注文に応じて描き直します。

姫路城をイメージしたキャラクターの生成例

HeyGenなどの強力な外部アプリケーション

ChatGPTにはPythonとDALL-E以外にも外部の強力なアプリケーションの機能を呼び出すGPTsの機能があります。たとえば、文章を映像化する**HeyGen**やVisla、美しい図を作成する**Whimsical Diagrams**、高度な科学計算を行う**Wolfram**、Youtube動画を要約する**VoxScript**など、ロゴデザインや資料作成の**Canva**など、すでに数万種類のカスタムAIが用意されています。あなたが作ったカスタムAIを公開して他のユーザーに使ってもらうことも可能です。

ChatGPTsのメニューから「GPTsを探索する」でGPTsのディレクトリに入り、使いたいGPTsを検索します。試用してよかったら、メニューの「サイドバーに保持する」をチェックすると、簡単に呼び出せるようになります。

最近使ったGPTs、自作のGPTs、サイドバーに保持したGPTsは「メンション」機能を使って呼び出すこともできます。GPTsの画面ではなく、通常のChatGPTのセッションのプロンプトの入力中に@を入力してみてください。呼び出せるGPTsが表示されますので、選択し@GPTs名を含めた形でプロンプトを入力します。**メンション機能を使うと、1つのセッションの中で複数のGPTsを組み合わせて活用することができます。**

　たとえば、GPTs図解のディレクトリでWhimsical Diagramsを選択してセッションを始めます。そして「AIの未来についてブレインストーミングしてください」というプロンプトを入れてみます。すると最初にGPTsによって

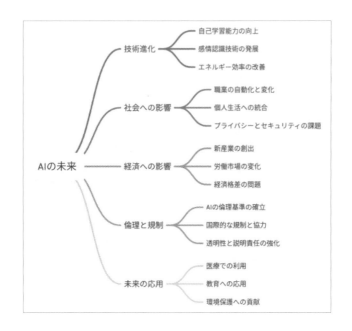

テキストでアイデア出しが行われます（GPTが気を利かせていきなり図が出ることもあります）。そこで「Whimsical Diagrams でブレスト内容をマインドマップにして」と指示すると、左ページのようなきれいなマインドマップの画像が生成されます。

　Whimsical Diagrams が気に入ったらサイドバーに保持で登録しておき、サイドバーのメニューから、あるいはメンション機能で呼び出せば、いつでもこんな図が作成できるのです。

　次は原稿を与えるとナレーターが読み上げをしてくれるHeyGen を使ってみましょう。HeyGenをディレクトリで検索してセッションを開始したら「本日のトレンドを3つ教えて」と依頼してみましょう。

　まずWeb検索を使って最新のニュースがChatGPT に取り込まれて表示されるでしょう。ここで「このトレンドを解説する映像を作成して」と頼んでみましょう。ナレーターの音声選択など追加で質問されるかもしれませんが、3つのニュースをアナウンサーが解説する映像が生成されます。

本日のトップニュースをお届けします。「日経平均が史上最高値まであと50円に迫る」という経済ニュースがあります。また、「ロシアの反体制派指導者アレクセイ・ナワリヌイ氏が死亡した」という衝撃的なニュースが報じられています。さ

HeyGen で生成されたトレンド解説映像

GPT Builder

GPTsにはBuilderというカスタムAI作成機能があります。

これはユーザーが独自にAIをカスタマイズして共有できる機能です。自分でGPTsを作るイメージです。

やり方はとても簡単。GPTsを作るメニューを選ぶとGPT Builderというチャット画面が表示されます。

画面の左側のBuilderのチャット画面に作りたいAIの仕様を文章で指示するだけです。

たとえば、「プロのカウンセラーとしてユーザと対話して、3回、価値観に関する対話をしたら、性格診断レポートを出力する」と言うだけでバリューインサイトカウンセラー(ChatGPTが命名しました)の出来上がりです。

右側のプレビュー画面で開発中のAIと対話できるので、何度も応答を試しながら、さらに追加で指示をGPT Builderに加えていくことができます。たとえば、「もっと丁寧で優しい言葉遣いでユーザーと接して」のような詳細な仕様をいくらでも追加していけるのです。

GPT Builderでは、Configureという詳細設定タブを使うと、さらに詳細なAIの設計が可能です。

Descriptionには AI の概要説明、Instructions には AI の動作の指示を入れます。そして、Knowledge の項目には、学習させたい情報が入ったファイルをアップロードします。

たとえば、本の一部をここにアップすると、その情報を使って AI が返答するようになります。

私は書評ブログをやっていますが、その記事を50冊分くらいアップすると、私の知識と言葉でおすすめ本を紹介する司書 AI ができました。

この方法での学習は、エンベディングほど本格的な学習ではなく、手元に本を置いておいて引用できるようにするというレベルの簡易的な能力強化ですが、手軽にカスタム AI が作れて便利です。

GPTs のディレクトリには世界中のユーザーが作成した AI が公開されており、自由に使うことができます。

プログラミングを手伝ってくれる AI だとか論文を書くのを手伝ってくれる AI のような専門特化した AI が登録されています。ここでは、有料で販売して利益を上げることもできるようになりました。

詳しくは、後半でお話しします。

ハルシネーションとバイアス、権利侵害に気をつける

ユーザーにも知識が必要

とても頭がいいChatGPTですが、間違いもあります。

ユーザーの要求に応えようと頑張り過ぎて、学習していないのに、それっぽい回答を出力することがよくあります。

これをハルシネーションと呼びます。

AIの見る妄想・幻覚という意味です。たとえば先日、過去のオリンピックの情報をレポートさせていた際に、「日本の宮澤喜一が柔道で金メダルを獲得」という記述がありました。

同様の間違いが何度か起きたので原因を調べてみると、どうやらインターネット上の国民栄誉賞の記事などで、金メダル受賞者と名前が並んだ著名人の名前が間違ってオリンピックの文章に混入してしまうようなのです。

これは、典型的なハルシネーションです。

ハルシネーションに対応するには、ユーザーにハルシネーションを認識できる知識が必要です。

まったく知らない分野の文章の生成は危険です。ある程度、ユーザーが知識を持っている必要があります。その上で、ハルシネーション生成を避けるにはグラウンディングというテクニックが有効です。

正しいとわかっている情報、十分に信用できる情報を与えて、その情報を土台にして文章を生成させるのです。

たとえば、先ほどの例でしたら続けて「この回のオリンピックの情報を
Webで調べてください。宮澤喜一が金メダルを獲りましたか」という質問
をすると、Wikipediaなどの信頼できる情報源を使って、ChatGPTは正しい内
容に修正を行います。

　文章を生成させる前に、そのテーマの重要な情報を入力し「まずこれを読
んでおいて」とか「○○についてWeb検索して基礎知識を学んで」という
指示をしておくと、グラウンディングに使える情報が準備されます。

　論文検索のScholar.AIや科学計算や歴史データベースのWolframなどの
GPTsを使うのも有効なやり方です。

　生成AIに慣れてくると、次第にどういう質問だとハルシネーションが発
生するか、感覚的にわかってきます。

　たとえば、金メダルの受賞者で混乱が多いとわかっていたら「Webを調
べて」を常に指示に含めればいいのです。

　ChatGPTは人間が教師になるファインチューニングによって、偏見がか
なり取り除かれています。

　ジェンダーや人種、年齢や外観に関する差別的な文章を出力しないように
ロックがかかっています。また、過去の戦争や独裁者などセンシティブな内
容に言及しないように設定されています。

　しかし、それでもなお、さまざまな偏りがあります。たとえば先日、「フ
ラワーアレンジメントのクリエイターの絵を描いて」と頼むと何度やっても
女性の絵ばかりを出力しました。

　学習に使ったデータが偏っていて、そういう職業は女性だという先入観が
あるのです。

　政治的にはOpenAIにおいて開発者の中心にいたであろう英語圏、白人、
リベラル派の価値観が強めに入っています。そうしたバイアスは日本語で
使っているときにも表れるので、少し気をつけていたほうがよいでしょう。

個人情報などに注意すること

　ChatGPTを使う際には情報漏洩や権利侵害についても意識をしましょう。

　普通にChatGPTを使っていると、入力したプロンプトがChatGPTの学習に使用される可能性があります。これは利用規約にちゃんと書いてあります。

　それを避けるために、設定画面で履歴の学習利用を不可に設定すると、学習に使われないようにできます。

　しかし、それでもなお個人情報や機密情報を外部のサーバに送信していることに変わりはないので、大企業や官公庁のセキュリティの基準では利用が認められないでしょう（大企業や官公庁向けの安全なソリューションをOpenAIとマイクロソフトは、一般向けのChatGPT Plus以外に別途提供しています）。

　個人情報、機密情報はChatGPTに入力すべきではありません。

　また、生成AIの生成した文章については、そのコンテンツが既存の著作物と似ているケースがあり、確認せずにそのまま利用すると権利侵害をしてしまう可能性があります。

　たとえばChatGPTは、有名な小説の一節をそのまま出力することがあります。画像についても同じです。

　生成AIの生成物の著作権をめぐっては、各国で議論が続いており、**常に最新の情報、OpenAIやマイクロソフトの規約を確認しておく必要があります。**

仕事と生活のための AIアシスタントCopilot

マイクロソフト Copilotとは

マイクロソフトはChatGPTの運営企業Open AIの大株主です。

GPT-4などOpenAIの開発した高性能の生成AIエンジンを優先的に使える立場にあります。CopilotはGPTを使って構築されたマイクロソフトのサービスです。中身が同じなので、基本的な応答はChatGPTに似ています。

マイクロソフト・アカウントを持っていれば、誰でも無料版Copilotを利用できます。Windows 11ならば標準でOSに搭載されており、デスクトップから利用することができます。

マイクロソフトのWebブラウザのEdgeとよく連携しており、今見ているページをCopilotに要約させたり、内容について質問をすることができます。

さらに有料版のCopilot Proは、Word、Excel、PowerPoint、OneNote、Outlookなどの Microsoft 365 アプリケーションに統合されており、これらのアプリケーション上で文章の生成、要約、書き直し、データの分析と集計、プレゼンテーションの生成など、多岐にわたる機能を提供します。

ChatGPTとCopilotは、資本関係がある会社が同じエンジンを使い提供していますが、サービス上は競合関係にあります。率直に言って中身は似ています。

どちらがよいかは無料版を比較して使いやすいと感じるほうを選ぶとよいと思います。Windowsユーザーは OS や Office との連携が密な Copilot を魅力的に感じるでしょう。しかし、本書の執筆時点では Copilot には ChatGPT のような Python によるデータ分析機能がありません。ただ、ChatGPT と同じ画像生成エンジンの DALL-E や、音楽生成の Suno などのプラグイン機能が使えます。レスポンスは Copilot のほうが軽快なことが多いです。

生成AIはWebで調べものをしながら長い文章を書く支援ツールとして優秀です。この本を書く作業でも、ChatGPT と Copilot（共に有料版）を使っています。私はWindowsユーザーです。執筆においては、事例づくりには ChatGPT を使い、長文の執筆には Copilot を主に使いました。

思考を
補助してもらう

調査してもらう

最新情報を調べて

ChatGPTは、最新情報を手に入れたいときにも便利です。まずはシンプルに、これまでGoogleなどの検索エンジンを使っていたシーンで、ChatGPTに質問してみましょう。

> プロンプト
> **最新のニュースを調べて**

とリクエストした事例をご紹介します。

検索エンジンとの違いは、キーワードではなく文章を入力したほうが適切な答えを得られやすいこと。ChatGPTは対話型AIですから、「最新のニュース」ではなく「最新のニュースを調べて」と、**人間に質問するような文にするのが原則です。**

以下のように文章で回答してくれるため、ChatGPTの回答をそのままコピー＆ペーストして、報告書やプレゼン資料に活用できます。

User 最新のニュースを調べて

GPT 最新のニュースには、さまざまな出来事が含まれています。NHK NEWS WEBからの情報によると、ロシアの反体制 派指導者ナワリヌイ氏が死亡したことが報じられています。また、新潟で小学生3人が車にはねられる事故が発 生し、2人が大けがをしたとのことです。群馬県伊勢崎では、工場排水から基準値を超える有害物質が確認さ れたと報告されています [2] 。
ライブドアニュースによると、確定申告の受付が始まりましたが、政治と金の問題が続いている中で不満の声が挙 がっているようです。さらに、盗撮犯から現金200万円を詐取した疑いで、警備員を装った男2人が逮捕されました。医師の働き方改革が開始された影響についても取り上げられています [1] 。
これらのニュースは、社会のさまざまな分野で起きている重要な出来事を示しており、それぞれが異なる社会的影響を及ぼしていることがわかります。詳細については、各ニュースソースを直接ご参照ください。

次は応用編です。以下のように、アウトプット形式をリクエストすること
もできます。

**英単語を暗記するための日本語スマホアプリを5つ、表形式でア
プリの名前、キャッチコピー、特徴、URLを表形式にして**

ChatGPTは以下のように回答しました。

User 英単語を暗記するための日本語スマホアプリを5つ、表形式でアプリの名前、
キャッチコピー、特徴、URLを表形式にして

GPT

アプリ名	キャッチコピー	特徴	ダウンロードリンク
英語勉強アプリ mikan	高校受験からビジネス英語まで	・カードをスワイプして単語を暗記 ・ネイティブの発音収録 ・63,000単語以上収録 ・資格試験対策や大学受験など豊富な学習コース	App Store / Google Play
Duolingo	ゲームのように楽しむ英語学習	・多言語学習可能 ・利用者のレベルに合わせた学習内容 ・フラッシュカード機能なし、クイズ機能あり	App Store / Google Play
究極英単語	忘却曲線理論に基づいた復習	・100種類以上の英単語教材 ・イメージ画像と結びつけて単語覚える ・フラッシュカード機能なし、クイズ機能あり	App Store / Google Play
スペルで覚える英単語 中2編	中学2年生の英単語スペル学習	・記憶があやふやになった英単語スペルの復習 ・制限時間設定可能、ゲーム感覚で学習 ・全単語に音声付き	Google Play
中学生の英単語2000	中学生向け基本単語のマスター	・2000単語収録、基本的な単語を中心 ・類義語まとめて表示、効率的な学習 ・全単語発音付き、リスニング対策にも	App Store / Google Play

ChatGPTが登場する前なら、Googleなどを使って1つひとつ調べ、表を
作成していたでしょう。ですが今では、そうした手間をかけることなく、
ChatGPTが調べ、表形式にまとめてくれるのです。仕事の競合調査などは
もちろん、旅行先の下調べや家事代行サービスの情報収集など、プライベー
トでも便利に使えるはずです。

考えてもらう

時事問題とその解決策について考えて

仕事で何かを考察しないといけないときにも、ChatGPTは頼りになります。

ここでは、今、日本が直面している深刻な問題である少子化問題について考えてもらいました。

ChatGPT に、

プロンプト

少子化が進むとどうなりますか

と聞いてみると、どのような問題が生じるか推論してくれます。

User 少子化が進むとどうなりますか

GPT 少子化が進むと、いくつかの社会的および経済的な影響が生じる可能性があります。

1. **高齢化人口の増加**：出生率の低下により、高齢者の割合が増えるため、高齢化社会が進行します。これにより、高齢者の医療や介護の需要が増え、社会保障制度への負担が増大する可能性があります。

2. **労働力不足**：出生率の低下により、労働人口の数が減少するため、労働力不足が生じる可能性があります。これにより、企業の生産性や経済成長が低下する可能性があります。

3. **経済への影響**：労働力の減少は、消費の縮少にもつながります。

続けて、

プロンプト
少子化を止めるためにはどうしたらよいですか?

と聞いてみると、以下のように、どのような解決策があるか推論してくれ
ます。

User　少子化を止めるためにはどうしたらよいですか?

GPT　少子化を抑制するためには、以下のような対策が考えられます。

1. 家族政策の充実出産や子育てを支援するための制度や福利厚生を整備する必
   要があります。たとえば、育児休暇制度の拡充や保育施設の増設、教育費の
   軽減などが挙げられます。

2. 経済的支援策の提供 経済的な負担を軽減するために、子供を持つ世帯への給
   付金や税制優遇措置の導入が考えられます。 これにより、子供を持つこと
   が経済的に負担とならず、出産への意欲が高まる可能性があります。

3. 教育・職業環境の改善 ・女性が出産と仕事を両立しやすい環境を整えること
   が重要です。

「少子化」のように、ネットでさんざん議論されていたり、メディアでよく
取り上げられているテーマについては、学習が進んでいるので、推論がとて
も有効に働きます。

要約してもらう

まとまった文章を要約して

　レポートや議事録、論文を作成したり、まとまったボリュームの文章を読んで作業したりする機会の多い人は、ChatGPT を使った文章の要約を試してみましょう。ChatGPT なら、3000字程度までであれば瞬時に要約してくれます。また、「100字で要約してください」「ですます調で要約してください」などと、アウトプットの形式を指定することも可能です。

　対象となる文章をコピー＆ペーストして、要約をリクエストします。

プロンプト
以下の文章を100字で要約してください

👤 以下の文章を 100 字で要約してください
User
昨年、世界的な科学雑誌に掲載された研究によると、気候変動が農業に与える影響が以前に考えられていたよりもはるかに深刻であることが明らかになった。この研究は、過去 10 年間の気象データと、世界各地の農作物の生産量を比較分析したもので、特に穀物の収穫に顕著な減少が見られた。研究チームは、気温の上昇と降水量の変化が主な原因であると指摘している。この状況は、食糧安全保障に対する重大な脅威となりつつあり、特に途上国での影響が懸念されている。研究者たちは、気候変動による農業への影響を緩和するために、新しい栽培技術の開発や、より耐久性のある作物品種の導入を求めている。

GPT 昨年の研究で、気候変動が農作物、特に穀物に深刻な影響を与え、食糧安全に脅威をもたらすことが判明し、対策として新技術と耐久性作物の導入が求められた。

分類・整理してもらう

カテゴリーごとに分類して

生成AIには複雑な情報を分類・整理する能力があります。

ありがちなパターンを生成するAIなので、ありがちな分類ができます。すなわち完璧ではありませんが、厳密さを要求されない日常の仕事では十分に活用できます。

たとえば、ChatGPTに2023年度のベストセラーの10冊のタイトルと出版社名を与えました。次のプロンプトを与えると本をジャンルに分類しました。『この世にたやすい仕事はない』はタイトルだけ見るとノンフィクションのようですが、中身はフィクションなのでChatGPTの分類は正しいです。

プロンプト

この10冊をジャンルに分類してください。図書館分類も教えてください

User この10冊をジャンルに分類してください。 図書館分類も教えてください

GPT ジャンル分類と図書館分類について、提供されたベストセラーの本のリストに基づいて案内します。 ただし、具体的な図書館分類 (たとえば、デューイ十進分類法や図書館会議主題標目表) は、出版物によって 異なる場合があり、また地域や図書館によっても採用されている分類法が異なるため、一般的なジャンル 分類に基づいたガイダンスを提供します。

1. ハリー・ポッターと賢者の石 - ファンタジー
   図書館分類 800 (文学) の中のファンタジー小説のセクション
2. この世にたやすい仕事はない・文学 / 小説
   図書館分類 910 (日本文学) の一般小説

> **GPT** ハリー・ポッターと賢者の石 – ファンタジー
> 図書館分類：800 (文学) の中のファンタジー小説のセクション
>
> この世にたやすい仕事はない – 文学/小説
> 図書館分類：910 (日本文学) の一般小説
>
> ブラック・ショーマンと名もなき町の殺人 – ミステリー/サスペンス
> 図書館分類：913 (日本の推理小説)
>
> やわらかい砂のうえ – 文学/小説
> 図書館分類：910 (日本文学) の一般小説
>
> リラの花咲くけものみち – 文学/小説
> 図書館分類は具体的な情報がないため、文学作品として910 (日本文学) に分類
> される可能性があります。
>
> なれのはて – 文学/小説
> 図書館分類は具体的な情報がないため、文学作品として910 (日本文学) に分類
> される可能性があります。
>
> きみのお金は誰のため – 経済/ビジネス
> 図書館分類：330 (経済学) またはビジネス関連のセクション
>
> 月曜日の抹茶カフェ – 文学/小説
> 図書館分類：910 (日本文学) の一般小説
>
> スモールワールズ – 文学/小説
> 図書館分類：910 (日本文学) の一般小説

　音楽作品や映画作品のジャンルでも分類ができますし、動物種、車の車種、企業の業種などでもかなり高い精度で分類することが可能です。

　分類精度が悪いと感じたら、

プロンプト

> **Webを調べながら分類して**

と指示すると、**時間はかかりますが精度が上がることがあります。**

ポジティブな意見、ネガティブな意見に分類して

　アンケート調査で得られたさまざまな意見を、それがポジティブ（肯定的）なものなのか、ネガティブ（否定的）なものなのかを、ChatGPT に分類してもらうといったこともできます。

　ここでは、映画「ハリーポッター」に対する意見を、ポジティブかネガティブか分類してもらった例をご紹介します。

　ポジティブな意見として分類されたのは、「J.K. ローリングの才能により生み出されたハリーポッターシリーズは、想像力を刺激し、魔法の存在を信じさせてくれます」「ハリーポッターシリーズは素晴らしいファンタジーの世界を作り上げており、魔法と冒険の魅力に満ちています」などでした。

　ネガティブな意見として分類されたのは、「ハリーポッターシリーズには暗い要素や不気味な場面が多く、苦手な人にとっては不十分な体験になるかもしれません」「一部のキャラクターの描写やストーリーラインには、ステレオタイプや偏見が含まれていると感じる人もいます」などでした。

 以下の意見をポジティブとネガティブに分類してください

　J.K. ローリングの才能により生み出されたハリーポッターシリーズは、想像力を刺激 し、魔法の存在を信じさせてくれます。
　ハリーポッターシリーズには暗い要素や不気味な場面が多く、 苦手な人にとっては 不快な体験になるかもしれません。
　ハリーポッターシリーズは素晴らしいファンタジーの世界を作り上げており、魔法と 冒険の魅力に満ちています。
　一部のキャラクターの描写やストーリーラインには、ステレオタイプや偏見が含まれ ていると感じる人もいます。
　ハリーポッターシリーズは、キャラクターたちの成長や友情、 勇気についての素晴ら しいメッセージを伝えています

CHAPTER 2

思考を補助してもらう

ポジティブ
1. J.K.ローリングの才能により生み出されたハリーポッターシリーズは、想像力を刺激し、魔法の存在を信じさせてくれます。
2. ハリーポッターシリーズは素晴らしいファンタジーの世界を作り上げており、魔法と冒険の魅力に満ちています。
3. ハリーポッターシリーズは、キャラクターたちの成長や友情、勇気についての素晴らしいメッセージを伝えています。
4. 魅力的な魔法の要素と緻密に練られたプロットは、読者をハリーの世界に没入させ、夢中にさせます。
5. ハリーポッターシリーズは、世代を超えて愛されるストーリーであり、読者にとっての思い出や共感を生み出しています。

ネガティブ
1. ハリーポッターシリーズには暗い要素や不気味な場面が多く、苦手な人にとっては不快な体験になるかもしれません。
2. 一部のキャラクターの描写やストーリーラインには、ステレオタイプや偏見が含まれていると感じる人もいます。
3. シリーズ全体の長さや詳細な描写が、一部の読者にとって退屈に感じられることがあります。
4. ハリーポッターシリーズは商業的な成功により、一部の批評家からは商業主義の作品と見なされることがあります。
5. J.K.ローリングに関連する論争や彼女の発言により、一部の人々がハリーポッタ-シリーズに対してネガティブな感情を抱くことがあります。

アンケートを分類し、評価して

　既存のカテゴリーへの分類や、アンケートをポジティブとネガティブに分類の他に、得点評価を与えることも可能です。

　ここでは説明事例のために架空の本『頭がいい人のChatGPT活用術』に対してポジティブな評価を7つ、ネガティブな評価を3つ生成して。架空の属性（性別、年代）も付与したダミーデータを10件作りました。

　🖥️ この本はChatGPTの可能性を最大限に引き出す方法を非常にわかりやすく説明
　User しています。属性：女性、30代

　著者のChatGPTに対する深い理解が感じられ、読者にもその知識がしっかりと
　伝わります。属性：男性、40代

　一部の章ではChatGPTの技術的な説明が専門的過ぎて理解しにくいです。
　属性：女性、20代
　実用的な例が豊富で、すぐにでもChatGPTを使い始めたくなる内容です。
　属性：男性、30代

　例が現実的ではない場合があり、実生活での応用が難しいと感じました。
　属性：女性、40代

　ChatGPTの応用範囲が広がること間違いなしの一冊です。属性：男性、50代

　初心者から上級者まで、幅広い読者層に対応した内容が魅力です。
　属性：女性、30代

　ChatGPTを使った時間管理術や情報収集のコツが特に役立ちます。
　属性：男性、20代

　読後にはChatGPTを使いこなす自信が持てるようになるでしょう。
　属性：女性、50代

　ChatGPTの最新のアップデートに追いついていない情報もあるため、注意が必
　要です。
　属性：男性、40代

このユーザーの評価を分類してみます。

　分類結果は以下のようになりました。

ポジティブとネガティブの判定は完璧です。ポジティブ度数の判定は、ど
うやらたくさんの要素を使って褒めていると高くなるようですね。

　微妙なところもありますが、なんとか使えるレベルだと思います。

 ポジティブ
この本はChatGPTの可能性を最大限に引き出す方法を非常にわかりやすく説明
しています。(9/10)
著者のChatGPTに対する深い理解が感じられ、読者にもその知識がしっかりと
伝わります。(9/10)
実用的な例が豊富で、すぐにでもChatGPTを使い始めたくなる内容です。
(8/10)
ChatGPTの応用範囲が広がること間違いなしの一冊です。(8/10)
初心者から上級者まで、幅広い読者層に対応した内容が魅力です。(8/10)
ChatGPTを使った時間管理術や情報収集のコツが特に役立ちます。(8/10)
読後にはChatGPTを使いこなす自信が持てるようになるでしょう。(9/10)

ネガティブ
一部の章ではChatGPTの技術的な説明が専門的過ぎて理解しにくいです。
(6/10)
例が現実的ではない場合があり、実生活での応用が難しいと感じました。
(5/10)
ChatGPTの最新のアップデートに追いついていない情報もあるため、注意が必
要です。(4/10)

　次に性別による評価の違いをまとめてもらいました。

プロンプト

> **次に性別ごとの要約をお願いします**

GPT **男性の要約**
男性の意見は、ChatGPTに関する書籍の具体的な応用方法、技術の深い理解、
およびその将来性に大きな関心を寄せています。彼らは実用的な例が豊富であ
ることを高く評価し、すぐにでもChatGPTを使い始めたいという意欲が高いこ
とが見受けられます。また、著者の深い理解を感じ取り、その知識の伝達を評
価する一方で、最新のアップデートに追いついていない情報には注意を促して
います。20代の男性は時間管理術や情報収集のコツに特に関心があり、50代の
男性はChatGPTの応用範囲が広がることに確信を持ち、技術の将来性に対して
楽観的な見方をしています。

女性の要約

女性の意見は、ChatGPTに関する書籍の理解しやすさ、実生活での応用の難しさ、および実践的な知識への関心に焦点を当てています。彼女たちは、ChatGPTの可能性を最大限に引き出す方法がわかりやすく説明されていることを特に評価しており、初心者から上級者まで幅広い読者層に対応した内容の魅力を感じています。しかし、一部の技術的な説明が専門的過ぎることや、例が現実的でない場合があることに対しては、応用が難しいと感じています。特に、50代の女性は読後にChatGPTを使いこなす自信が持てると感じ、実践的な知識への関心が高いと述べています。

男性は技術の理解と応用、将来性に関心が高く、女性は内容の理解しやすさ、実用性、および実践的な知識への関心が高いことがわかります。
これらの意見は、性別によって異なる視点や期待があることを示しており、それぞれが書籍に対して何を価値あるものと見ているかを反映しています。

よくできたまとめと言えるでしょう。

ここではサンプルが10例ですが、もっと多くのデータがある場合でも、GPTの記憶能力を超えない限りはちゃんと分類をさせることができます。フリーワードでアンケートを集めた後の処理がラクになります。

さらに集計グラフを作成することもできます。次のプロンプトと一緒に日本語フォントをアップロードしました。

プロンプト

ポジティブとネガティブの比率のグラフ、回答者の男女比のグラフ、回答者の年代別のグラフを作成してください

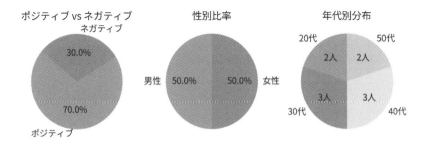

みなさんもぜひ、レポート作成などで活用してみてください。

シミュレーションをしてもらう

ウイルス感染のシミュレーションを作成して

これまで専用ソフトウェアが必要だった、動画を用いたシミュレーション。このタスクも、ChatGPTを使えば、望む形のアウトプットを簡単に入手できます。

ChatGPTは、物理のシミュレーション動画作成も得意です。

たとえば、

プロンプト

棒人間1000体が画面を動き回り、濃厚接触した人間にウィルス感染を広げていくシミュレーション動画

というリクエストをしてみました。

User 棒人間 1000 体が画面を動き回り、濃厚接触した人間にウィルス感染を広げていくシミュレーション動画

GPT わかりました。 ウィルス感染のシミュレーションを作成します。

以下の前提条件を設定します:

1. 画面上には 1000 体の棒人間がランダムに配置され、ランダムな方向に動きます。
2. 最初に 1 体の棒人間が感染しています。
3. 感染した棒人間と非感染の棒人間が接触した場合、確率に基づいて非感染の棒人間が感染する可能性があります。
4. 感染した棒人間は、一定の時間後に回復する可能性がありますが、再感染はしないとします。
   シミュレーションのパラメータを調整することで、異なる感染の広がり方や速度を確認できます。
   このシミュレーションを作成して動画として保存します。よろしいですか?

すると、ChatGPTが「わかりました。ウイルス感染のシミュレーションを作成します。以下の前提条件で作成してもよろしいですか？」と聞いてきたので、私は以下のような条件を追加しました。

人間の数：1000人
初期感染者：1人
濃厚接触：一定の距離内（例：5ユニット）での接触
ウイルス感染の確率：濃厚接触時に50%
シミュレーション時間：200秒

User
人間の数：1000人
初期感染者の数:1人
濃厚接触 一定の距離内 (例:5ユニット) での接触
ウィルス感染の確率 濃厚接触時に50%
シミュレーション時間:200秒

GPT 了解しました。 以下のシミュレーションを実施します：

1. 1000人の人間がランダムな位置でスタートします。
2. 1人が初期感染者として選ばれます。
3. すべての人間はランダムな方向に動きます。
4. 5ユニット以内の距離で接触した場合、感染者から非感染者へウィルスが50%の確率で伝播します。 5. シミュレーションは200秒間実施します。
シミュレーションの結果として、時間経過に伴う感染者数の変化をグラフで表示します。 また、シミュレーションの結果を動画としても保存して提供します。
それでは、シミュレーションを開始します。

その結果、できてきたのが「感染の広がり」というシミュレーション動画です。はじめは1人の感染者が赤で示されていますが、やがて指定した確率で感染が広げていきます。この様子を示した動画を、たった3分で作成できます。

　パラメータを変えれば、すぐにそのパラメータによるシミュレーション動画が出来上がってきます。

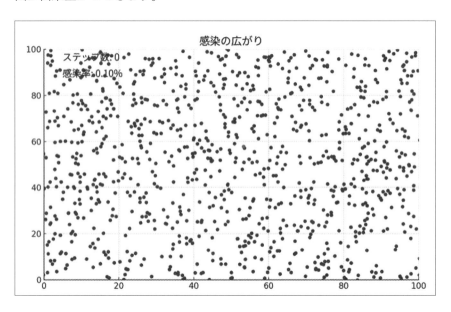

巡回セールスマン問題を解く
シミュレーションを映像化して

地図上の30カ所の巡回セールスマン問題を解くシミュレーションを映像化してください

とリクエストすると、ChatGPT は下記のように、「巡回セールスマン問題ですね」と言って、「巡回セールスマン問題とは何か？」の説明をしてから、方程式を立てて解き方を説明して、それをグラフ上でシミュレーションして見せてくれます。

 User 地図上の30か所の巡回セールスマン問題を解くシミュレーションを映像化してください

 GPT 巡回セールスマン問題 (Traveling Salesman Problem: TSP) は、与えられた都市の中で一番短い距離 で全ての都市を訪れる最適な経路を見つける問題です。この問題は NP 困難として知られており、都市の 数が増えると計算量が指数関数的に増加するため、大規模なケースでは厳密な解を得るのは非常に困 難です。
30 都市の場合でも、全ての経路を試すのは計算的に困難なので、近似アルゴリズムやヒューリスティック法 を用いて解を求めることが一般的です。
今回は、シンプルな近似アルゴリズムを使用して、30 都市の TSP を解くシミュレーションを行い、その結果を 映像化します。 具体的には、次の手順で進めます：

1. 30 都市の座標をランダムに生成
2. 都市間の距離を計算
3. 近似アルゴリズムを使用して TSP の解を求める
4. 結果を映像化

30都市の座標が生成されました。次に、都市間の距離を計算します。距離はユークリッド距離を使用して計算します。

$$d_{ij} = \sqrt{(x_i - x_j)^2 + (y_i - y_j)^2}$$

ここで、d_{ij} は都市 i と都市 j の距離、(x_i, y_i) は都市 i の座標、(x_j, y_j) は都市 j の座標を示します。

作業完了　　コードの詳細を表示 ✓

都市間の距離を計算しました。

次に、近似アルゴリズムを使用してTSPの解を求めます。このデモンストレーションでは、シンプルな"最も近い隣人法"(Nearest Neighbor Algorithm)を使用します。このアルゴリズムは次のように動作します：

1. 開始都市を選択します。
2. 現在の都市から最も近い未訪問の都市に移動します。
3. 上記のステップをすべての都市が訪問されるまで繰り返します。
4. 開始都市に戻ります。

↻ 再生成

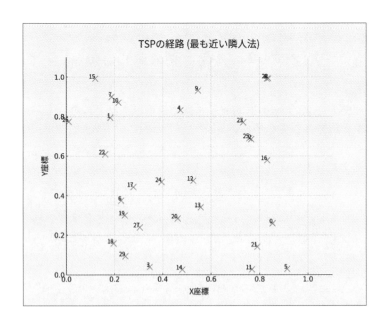

続いて、

他の巡回の仕方もありますか？

とリクエストすれば、他のやり方も説明してくれます。

実際の動画が見られます

ブレインストーミングをする

英語学習というトピックでブレインストーミングして

ChatGPTは、ブレインストーミング、つまりアイデア出しにも役立ちます。

ビジネスパーソンの仕事の多くは、インプット→発想→アウトプットの順で進んでいくものです。ChatGPTを使って、このうちの「発想」の部分を効率化しましょう。

具体的な活用シーンとしては、企画を立てるとき、文章を書くとき、計画を立てるときなどが挙げられます。質・量ともにあなたの発想の枠をこえたアイデアを得られて、ゼロから考えるよりも格段に早く、良質なアウトプットにたどり着くことができます。ここでは、英語学習についてブレインストーミングしてみます。

プロンプト

> **英語学習というトピックでブレインストーミングしてください。キーワードを30個**

とリクエストすると下記のように返してくれました。

👤 User 英語学習というトピックでブレインストーミングしてください

🤖 GPT 1. 英語学習アプリ　2. オンラインコース　3. 単語帳　4. リスニング練習　5. 英語ドラマで学ぶ　6. 英会話教室　7. 語学交換パートナー　8. ポッドキャスト　9. シャドーイング　10. スピーキング練習　11. 英語の歌　12. グラマー解説　13. 英文法　14. 発音練習　15. フレーズ学習
⋮

さらに、その30個のキーワードについて、

このキーワードリストをマインドマップの形式に変換してください

とリクエストすることができます。

英語学習のような一般的な話題の場合は、膨大に学習しているので、どのような要素を網羅しなければいけないか、漏れなく提示してくれます。

ご覧のように、リスニング、スピーキング、リーディング、ライティングといったいわゆる英語の4技能や、文法、発音など、必要な要素について整理されています。

オンライン教育をテーマにブレインストーミングして

　ブレインストーミングする際には、指示のキーワードを追加することで、出てくるアイデアのテイストや方向性をカスタマイズできます。1つ例でやってみましょう。ここでは

オンライン教育についてブレインストーミングしてください

とリクエストしてみました。

　ここでは、**「Whimsical Diagrams」のGPTsを設定してマインドマップにしてもらっています。**

　すると ChatGPT は、「利点」は「場所の制約がない」「自分のペースで学べる」「多様なコースが利用可能」ということであり、「欠点」は「対面のコミュニケーションが少ない」「技術的な問題が発生する可能性」「自己管理が必要」などとリストアップしてくれました

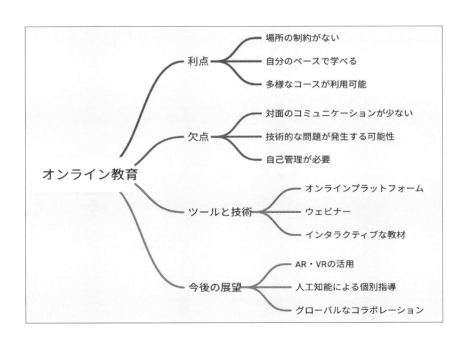

そこで、今度は、

奇抜なアイデアを出してください

とリクエストしてみました。たとえば、「VR教室」を開けば「実際の教室
ような体験」「実際の場所を訪れるバーチャル旅行」ができるとか、「AI教
師」なら「学生の学習スタイルに合わせて教えええる」「24時間いつでも質問
に答える」ことができるなどなど、かなり面白いアイデアを出しくれました。

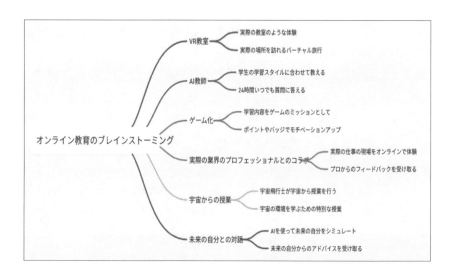

　このように、たとえば実際のブレインストーミングをしているときに、
**ChatGPTをブレインストーミングの参加者の1人として扱い、そのつどあ
れこれ質問をしていくと、より効率的で、より実りのあるブレインストーミ
ングができるようになります。**

1つ上の
ブレインストーミングをする

オズボーンのチェックリストで画期的な教育サービスを発想して

「オズボーンのチェックリスト」というアイデアを発想するための手法があります。これは、9項目（「転用」「応用」「変更」「拡大」「縮小」「代用」「再配置」「逆転」「結合」）に沿ったチェックリストをあらかじめ用意して、それらに答えることでアイデアを発想するという手法です。

主にブレインストーミングの際に用いられます。

たとえば、

> **プロンプト**
>
> **オズボーンのチェックリストを使って画期的な教育サービスを発想してください**

とリクエストしたところ、以下のような回答が得られました。

こうした使い方をすれば、1人ブレインストーミングができるわけです。

オズボーンのチェックリストを使って画期的な教育サービスを発想してください

GPT オズボーンのチェックリストは、アイデアを発想するための手法の一つで、以下のような質問を基に新しいアイデアや既存のアイデアの改善点を考えるものです：

1. 他の用途は？
2. 適応できるものは？
3. 修正できるものは？
4. 増やすことはできるか？
5. 減らすことはできるか？
6. 他のものと置き換えることはできるか？
7. 再配置できるものは？
8. 逆にすることはできるか？
9. 組み合わせることはできるか？

これらの質問を基に、画期的な教育サービスの発想を考えてみます。

1. **他の用途は？**
   ・教育サービスをビジネストレーニングや趣味の学びにも適用する。
2. **適応できるものは？**
   ・VR や AR 技術を取り入れて、より実践的な学びの場を提供する。
3. **修正できるものは？**
   ・オンライン教育のカリキュラムを生徒のペースに合わせてカスタマイズ可能にする。
4. **増やすことはできるか？**
   ・講師や専門家との1対1のセッションを増やして、より深い学びをサポートする。
5. **減らすことはできるか？**
   ・不要なコンテンツや機能を削減して、シンプルで使いやすいサービスにする。
6. **他のものと置き換えることはできるか？**
   伝統的なテキストベースの教材を動画やインタラクティブなコンテンツに置き換える。
7. **再配置できるものは？**
   ・学びの順序やカリキュラムの構造を生徒が自由に変更できるようにする。
8. **逆にすることはできるか？**
   ・生徒が教える立場になり、他の生徒や講師にプレゼンテーションをする機会を提供する。
9. **組み合わせることはできるか？**
   ・複数の教育サービスやツールを組み合わせて、一つの統合された学びのプラットフォームを作成

複数の人格になってブレインストーミングして

ChatGPTに2つの人格になってブレインストーミングしてもらうという
こともできます。

ここでは、

> **「AIは人類の脅威だ」というニュースがありました。このテーマ
> について天使と悪魔で対話をしてください**

といったように、ポジティブな意見を持つ立場と、ネガティブな意見を持
つ立場の人格になってもらって、ChatGPTで対話をしてもらった事例をご紹
介します。

天使が「AIは人々の生活を助け、情報を整理し、新たな科学的進歩を助け
る役割を果たしている」といった主張をしているの対して、悪魔は「個人の
プライバシーの侵害、雇用の喪失、より深刻な状況、たとえば『意思決定の
自動化』。これらは全てAIがもたらす可能性のあるリスクだ」といった主張
をしています。ポジティブとネガティブの意見を聞くことができるのです。

User 「AIは人類の驚異だ」というニュースがありました。
このテーマについて天使と悪魔で対話をしてください。
ポジティブとネガティブの意見を聞く

GPT **天使:**こんにちは。人間がAIという驚異的なものを創り出すというのは、本当に
驚くべきことだと思います。 AIは人々の生活を助け、情報を整理し、新たな科学
的進歩を助ける役割を果たしていますね。

悪魔:確かにAIは人類の驚異だと言えるかもしれない。 だが、人間がこれほどの
力を手にすると、それは必ずしも善い結果をもたらすとは限らない。 個人のプラ
イバシーの侵害、雇用の喪失、またはより深刻な状況、たとえば「意思決定の自
動化」による問題。 これらは全てAIがもたらす可能性のあるリスクだ。

続いて、

プロンプト

AIは人類の脅威か否かについて、政治学者、経済学者、社会学者、人類学者、法学者、歴史学者に議論させてください

といったように、6つの専門家の立場に分かれて、ChatGPTどうしで議論をしてもらいました。

政治学者が「悪用されると、AIは情報操作や監視社会を生み出す可能性がある」という意見。対して、経済学者は「労働力の代替や生産性の向上など、潜在的には経済の利益になる」などと、それぞれ各分野の専門家の意見や主張を聞くことができます。

User AIは人類の脅威か否かについて、政治学者、経済学者、社会学者、人類学者、法学者、歴史学者に議論させてください

GPT **政治学者**：AIは非常に強力なツールであり、その使用法は国家レベルでの政策に大きな影響を与えます。悪用されると、AIは情報操作や監視社会を生み出す可能性があります。また、AIが武器システムに組み込まれると新たな脅威を生み出す可能性もあります。

経済学者：AIは経済活動において革新的な可能性を秘めています。労働力の代替や生産性の向上など、潜在的には経済の利益になります。しかし、AIが仕事を奪うという懸念もあります。新しい技術が導入されると、それに伴って経済の再構築が必要になります。

シックスハット法でブレインストーミングして

あるテーマについて6つの視点で考える「シックスハット法」でブレインストーミングしてもらうこともできます。

シックスハット法というのは、さまざまな視点から問題点を考え、グループディスカッションや意思決定のプロセスを効果的に進めるための方法論です。それぞれの帽子を「被る」ことで、その視点から問題を考えます。

ここでは、

プロンプト

「AIは人類の脅威か否か」をシックスハット法で議論してください

をシックスハット法で議論してもらいました。

 User AI は人類の脅威か否かをシックスハット法で議論してください

GPT シックスハット法はエドワード・デ・ボノによって提唱されたもので、さまざまな視点から問題を考えるための方法です。それぞれの「帽子」は異なる視点を象徴しています。それぞれの帽子を「被る」ことで、その視点から問題を考えます。

1. **白帽子（事実やデータ）**：AI は情報処理と学習能力を持っています。AI 技術はさまざまな分野で活用され、効率性と生産性を向上させる可能性があります。しかし、AI の導入は雇用構造の変化を引き起こす可能性もあります。
2. **赤帽子（感情や直感）**：AI の発展はワクワクする一方で、不安や恐れを感じる人もいるでしょう。AI が人間の仕事を奪う、個人のプライバシーを侵害する、あるいは人間の意志を超越するという懸念があります。
3. **黒帽子（批判的な視点）**：AI は、社会の不平等を増大させ、大規模な失業を引き起こす可能性があります。AI の誤った判断による事故や、AI の利用による個人情報の漏洩などのリスクもあります。
4. **黄帽子（最適主義的な視点）**：AI は我々の生活を劇的に改善する可能 性があります。 医療、教育、運輸、エンターテイメントなど、あらゆる分野で人間の労力を軽減し、高度なサービスを提供する可能性があります。
5. **緑帽子（創造的な視点）**：AI の持つ可能性は無限大です。 未来では、AI は新たな職業を生み出し、社会の問題を解決するための新しい方法を見つけるかもしれません。
6. **青帽子（統制やプロセス）**：AI の利益とリスクをバランスよく管理するためには、適切な規制と監督が必要です。AI のエシカルな使用についての教育と討論が必要で、各国や国際社会は AI のガイドラインや規制を策定するべきです。

それぞれの帽子からの視点が見られました。仕事で少し別の視点で物事を考えたいときに、ChatGPT に意見を聞いてみるのもいいでしょう。

思考の壁打ちパートナーとして生成AIは優秀です。

今、パナソニックのような大企業がChatGPTをブレインストーミングに活用していたり、ソフトバンクグループの代表取締役で会長の孫正義氏もヘビーユーザーだというニュースもあります。

企画書を
作ってもらう

アイデア出しを手伝ってもらう

SNSで告知するためのキャッチコピーを考えて

ChatGPTは、アイデア出しも得意です。ここでは、企画立案に役立つ機能をお伝えします。

これから出版する本を売るためのキャッチコピーを考えてもらうこともできます。

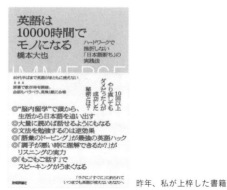

昨年、私が上梓した書籍

出版社の告知ページにあった本の概要と目次データをもとに以下のようなプロンプトを入力して、SNSで告知するためのキャッチコピーのアイデアをもらいました。

プロンプト

以下の『英語は10000時間でモノになる〜ハードワークで挫折しない「日本語断ち」の実践法〜』の情報から、キャッチコピーを5本作ってください

以下の『英語は 10000 時間でモノになる 〜ハードワークで挫折しない「日本語断ち」の実践法〜』の情報から、キャッチコピーを 5 本作ってください。

2023 年 4 月 20 日紙版発売
橋本大也 著
四六判 /288 ページ
定価 1,760 円 (本体 1,600 円 + 税 10%)
ISBN 978-4-297-13352-8

この本の概要
英語がまともに使えなかった状態から , 原著で数百冊を読破、会話もペラペラ , 英検 1 級に合格——その秘密とは？
「いつかは英語で本が読めるようになるぞ！」と思いつつ 10 度以上折してきた著者が ,40 代半から使える英語を身につけた非常識な学習方法を集大成。
本の概要と目次データ (約 2 千字) から
〜〜〜〜〜〜〜〜〜〜〜〜〜〜〜途中；省略〜〜〜〜〜〜〜〜〜〜〜〜〜

1. " 英語学習の道は遠い？ 大丈夫、10000 時間の壁を乗り越える実践的なガイドがある！"

2. " 挫折を繰り返す日々からの解放へ 40 代から英語をマスターした著者の秘密をあなたにも "

3. " 英語に日本語を打ち負かす、ユニークで効果的な学習法を身につけよう "

4. " 英語学習の効率化ツールを使いこなす！ AI の力を借りて一歩先へ "

5. "「もごもご話す」でも英語は上達する！ 楽しみながら、自然と英語力が身につく

このように答えてくれたので、私は 2 を使って実際に SNS で告知しました。

新商品の開発を手伝ってもらう

いいアイデアを出してもらうコツ

『ハーバード・ビジネス・レビュー（2023年9月号）』（https://dhbr.diamond.jp/articles/-/9849）に、生成AIの研究者たちによる「生成AIは人間の創造性をどのように拡張するのか」という興味深い記事が載っていました。

　ここでは、その記事ですすめられていたChatGPT活用法を1つ紹介しましょう。

　それは、ChatGPTにランダムに2つのキーワードを挙げさせた後、ユーザーがそれらと関連の薄いキーワードを1つ指定して、3つのキーワードをもとにユニークな製品を考案させるというものです。

> **プロンプト**
>
> **ランダムな2つの単語を提案し、私に3つめの単語を質問してください。そして回答を受け取ったら、3つの単語を使って画期的な新商品を発想し、プレゼンしてください**

とリクエストしてみました。

> **User** ランダムな2つの単語を提案し、私に3つめの単語を質問してください。 そして回答を受け取ったら、3つの単語を使って画期的な新商品を発想し、プレゼンしてください
>
> **GPT** 了解しました。 それでは、ランダムな2つの単語として、「ロボット」と「音楽」を提案します。 あなたが思い浮かべる3つめの単語は何でしょうか？
>
> **User** ウナギ
>
> **GPT** ありがとうございます。 それでは、「ロボット」、「音楽」、そして「ウナギ」を組み合わせた新商品を考えてみましょう。

すると、「ロボット」「音楽」という単語を提案してきたので、私は「ウナギ」と答え、「ロボット」「音楽」「ウナギ」の単語を組み合わせた新商品を考えてもらいました。

 新商品の名前は「Eelody」です。これは、ウナギ（Eel）とメロディ（Melody）を組み合わせた造語で、その名の通り、ウナギと音楽、そしてロボット技術を融合した革新的な商品です。
「Eelody」は、ウナギのように滑らかで柔軟な動きをするロボットで、その動きに合わせて音楽を奏でるという、まったく新しいタイプのエンターテインメントロボットです。
その独特な絵と動きを活かして、教育やリハビリテーション、さらにはパフォーマンスアートなど、さまざまな場面で活用することができます。たとえば、子どもたちに音楽や科学への興味を喚起する教材として、または身体のリハビリテーションに役立つ運動の一環として、あるいは新しいタイプのパフォーマンスアートとして、その可能性は無限大です。

　さらに「この商品を絵にして」でDALL-Eでウナギロボットの絵を描かせました。「キャッチコピーを書いて」で出力した文章と横に並べてみます。

「Eelody」は、音楽とロボット技術、そしてウナギの独特な動きを融合した、まったく新しいエンターテイメント体験を提供します。
これにより、私たちは音楽をただ 聴くだけでなく、視覚的にも体験 することができ、さらには音楽と一体となって動くことで、新たな表現の可能性を開くことができます。
「Eelody」で、音楽とロボット、そしてウナギの世界を体験しませんか？

　なかなか魅力的な製品の企画ではないでしょうか。こんなふうにブレインストーミングを続けていけば、リアルの企画会議で選ばれるものができそうです。

企画書を書いてもらう

新製品の企画書を書いて

ChatGPTを使えば、企画書の草案もあっという間に作成できます。

たとえば、あなたが食品メーカーで新商品開発を担当しているとしましょう。以下のようにリクエストするだけで、企画書を作ってくれます。

プロンプト
新商品「激辛えびせんべい」の企画書を作成してください

> User 新商品「激辛えびせんべい」の企画書を作成してください
>
> GPT 【企画書】
> 新商品「激辛えびせんべい」の企画書
>
> 1. はじめに
>   私たちは、辛い食品が人気を集めている現在の市場トレンドに注目し、新商品「激辛えびせんべい」を開発することを企画しました。この企画書では、商品の概要 市場分析、商品の特徴、販売戦略などを詳細に説明しています。
> 2. 商品の概要
>   「激辛えびせんべい」は、辛味とえびの風味が絶妙に調和した、おいしさと辛さを追求したスナック菓子です。辛さ好きな消費者層にアピールすると同時に、一般の方々にも新たな味覚体験を提供することを目指しています。

ここでは、「1.はじめに」という見出しを立てて、「私たちは、辛い食品が人気を集めている現在の市場トレンドに注目し、新商品『激辛えびせんべい』を開発することを企画しました……」といったように、もっともらしい企画趣旨の文章を作成してくれています。

実は、私は「激辛えびせんべい」について何も考えないまま「企画書を作成してください」と指示していたのですが、ChatGPTのほうがいろいろと考えてくれるのです。

👤 新商品「激辛えびせんべい」の企画書を作成してください
User　江の島産えび使用
　　　メキシコ直輸入のハバネロを 使用
　　　辛い物好きに挑戦する テレビ番組「うきうきサンデーで取り上げられた」
　　　若者向けのキャッチコピーで

🖥 【企画書】
GPT　商品名：激辛えびせんべい

　1.概要「激辛えびせんべい」は、江の島産の新鮮なえびとメキシコ直輸入のハバネロを 使用した、辛さ満点のお菓子です。この商品は辛い物好きの方々に挑戦を呼びかけ、舌と胃袋を刺激する新感覚の味わいを提供します。さらに、テレビ番組「うきうきサンデー」で 取り上げられる予定であり、その影響力を活 用して若者を中心に幅広い層に訴求することができます。
　2.特徴 2.1 厳選した江の島産えびの使用：江の島は新鮮な海の幸が豊富で知られており、その中でも特に美味しいと評判のえびを使用します。高品質のえびは風味豊かで、商品の 味わいを一層引き立てます。

　このように、ChatGPTは作文がとても得意なわけですが、これを使っていく上でとても重要な概念があります。

　それは、このように詳細な情報を与えたり、具体的な例を挙げて指示をすると、より満足のいく回答をしてくれるということです。

フォーマットを提示して企画書を作成して

　ChatGPTに企画書を作ってもらう際のポイントは、フォーマットを指定することです。具体的なフォーマットを指定し、それを埋めてもらうようにすると、より精度の高いアウトプットが得られて、手直しが少なくて済みます。

　ここでは、自分が作ってほしい企画書のフォーマットを提示した上で、「AI英会話メイト」というタイトル、「いつでも話せる、楽しく学べるAIとの英会話体験」というキャッチコピーをもとに、アイデアを企画書化してもらいました。

User 以下のフォーマットでこのサービスの企画書を作成してください

1. タイトル：わかりやすく
2. サブタイトル(気になるキャッチフレーズ)
3. 背景 どのようなニーズ、トレンドがある？
4. 目的 何をすべきなのか
5. 提案 何ができるのか
6. スケジュール どのように進めるか
7. 体制 実行にあたって十分な能力があるか
8. 課題 実現にあたってどのような課題がありどう対処するか

GPT 企画書：
1. **タイトル：**
　　AI英会話メイト
2. **サブタイトル(気になるキャッチフレーズ):**
　　「いつでも話せる、楽しく学べるAIとの英会話体験」
3. **背景：**
　　近年、グローバル化が進み、英語の重要性がますます高まっています。 しかし、多忙な現代の生活や限られた時間の中で効果的に英語を学ぶことは容易ではありません。また、従来の英会話教室では時間や場所の制約があり、個々の学習ニーズに合わせたカリキュラムや教材が提供されることも少ないという課題があります。このようなニーズと課題に対応するため、AI英会話メイトを提供することで、個別の学習スタイルに合わせた柔軟な学習環境を提供します。
4. **目的：**
　　当社の目的は、利用者がいつでも気軽にAIとの英会話を楽しみながら効果的に学ぶことができる環境を提供することです。具体的には、以下の目標を達成します。
　　- 利用者がAIキャラクターとの対話を通じて、自信を持って英語を話せるよ

うになること。
- 利用者の発音、語彙、文法のスキルを診断し、改善することで、総合的な英語力の向上を図ること。
- 英検や TOEIC などのテスト対策を提供し、利用者の目標達成をサポートすること。
5 提案：
- オンライン AI 英会話サービスを提供し、利用者が自分のペースで学べる環境を提供します。
- 人気キャラ
~~~~~~~~~~~~~~~~~~途中；省略~~~~~~~~~~~~~~~~

すると、上記のような提案をしてくれます。

　これを人間相手に何十回も繰り返させるとパワハラになりますが、ChatGPTであれば、何十回繰り返してもまったく問題ありませんので、その中から、よい提案があればそれを採用すればいいわけです。

プレゼンに
活かす

説明する内容を作ってもらう

インフレの仕組みをたとえ話を使って説明して

　難しい話題をわかりやすく、説得力ある形で説明するには、たとえ話が有効です。

　とはいえ、あなたがその話題に明るければ明るいほど、聞き手にとって理解しやすいたとえ話を作るのは、かえって難しいもの。ここではChatGPTの力を借りて、どんな人にも伝わるような、たとえ話を作ってもらいましょう。

　ここでは、

> プロンプト
> **インフレの仕組みをわかりやすい、たとえ話で説明してください**

とリクエストした例をご紹介します。

　さっそくChatGPTは、次のような答えを返してきました。

User インフレの仕組みをわかりやすい、たとえ話で説明してください。

GPT あなたが小さな島の住人で、島民たちは食べ物やサービスを買うために貝殻を使います。たとえば、1つのパンを買うのに1つの貝殻が必要です。
ある日、島のリーダーが海から大量の貝殻を見つけて、全ての島民にそれを配ることにしました。これで1人当たりの貝殻の数が増えました。島民たちはこれに喜び、自分たちがもっと多くのものを変えると思いました。
しかし、パン屋もまた貝殻が増えたことに気づきました。島民全員が一度にパンを買おうとすれば、パンが足りなくなることを恐れ、パン1つあたりの貝殻の価格を2つに上げることにしました。
これがまさにインフレの仕組みです。通貨の量が増えると、その価値は下がり、物価（パンの価格など）が上がる傾向があります。結果として、人々は以前と同じ量の貝殻で、以前よりも少ない物しか買えなくなります。
これがインフレで、物価が全体的に上昇する現象を指します。

このようにたとえ話を使って、わかりやすくインフレの仕組みを説明してくれるわけです。

プロンプト

このたとえ話を画像にしてください

と入力すると、貝殻の上に乗った人が「貝殻がたくさん見つかったぞ」と叫んでいるような画像を生成してくれます。

他にもたとえば、「ピグマリオン効果」について聞いて、同じように画像にしてもらうと、このような画像が生成されました。

ピグマリオン効果
あなたがサッカーチームのコーチで、チームの中に才能豊かだと思われる選手、ジョンがいると想像してみてください。あなたはジョンが大いに成功する可能性があると確信しており、それを彼に伝えます。ジョンへのあなたの信頼と期待は、彼の自信を高め、彼の練習への意識を引き締めます。
その結果、ジョンは自分の能力に自信を持ち、努力を重ね、ますます上達します。あなたの当初の予想が現実となり、彼はサッカーで成功を収めることになります。
これがピグマリオン効果の　例です。ピグマリオン効果とは、他人からの高い期待がその人自身の能力や行動にプラスの影響を与える現象を指します。この効果は学校や職場など、さまざまな環境で観察されており、期待が行動と結果にどのように影響を与えるかを示しています。

スピーチ原稿を作らせ、話してもらう

原稿を作って、しゃべって

ChatGPTは、本来はチャット用のAIです。

知識や性格を与えてAIにしゃべらせることができます。**ここでは、本人が書いた文章の分析によって、その人物らしさが表れたスピーチを作り、映像化します。**皆さんもご自分や有名人で同じことをやってみてください。

私が働いているデジタルハリウッド大学の学長である杉山知之氏のコピーロボットを作ります。学長として大学について的確なスピーチができる代役にしたいと思います。

｜ 学習データを収集する

まず杉山学長が大学のビジョンについて書いた文章をWebで収集します。

大学のWebサイトに「デジタルという力で人々の幸せをアップデートしてほしい」というタイトルのエッセイや同大学同窓会の卒業生へのメッセー

ジなどが見つかりました。これらを１つのテキストファイルにまとめました。約3000字ありました。

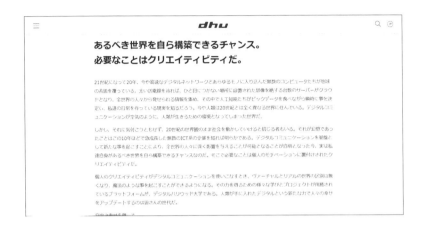

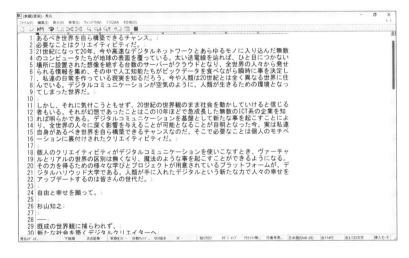

2 学習データからキーワードや口癖を分析させる

プロンプト

> 下記の文章の特徴を分析してください。キーワード、頻出する表現、口癖を抽出してください

　上記のプロンプトの後に、先ほどの約3000字のデータを貼り付けました。すると、デジタルコミュニケーション、クリエイティビティ、21世紀などのキーワードと、頻出表現のフレーズがいくつか、「今や」という口癖がリストアップされました。

 下記の文章の特徴を分析してください。キーワード、頻出する表現、口癖を抽出してください

 この文章はデジタルハリウッド大学の学長、杉山知之氏によるメッセージで、デジタルコミュニケーションとクリエイティビティの重要性、そしてそれらがもたらす社会の変革について述べられています。

以下に、文章の特徴を分析します。

1. キーワード：
　・デジタルコミュニケーション
　・クリエイティビティ
　・21世紀
　・デジタルハリウッド大学
　・杉山知之
　・ICT
　・デジハリオンラインスクール
　・デジタル
　・プロジェクト
　・人工知能
　・ビックデータ
　・ネット
　・ダイバーシティ

3　本人の性格を分析する

　言葉遣いはわかったので、次は本人の性格やプロフィールを分析します。
ここでは**Whimsical Diagrams**の**GPTs**を使い、**マインドマップを作らせま
しょう。**

プロンプト

杉山氏のデータを分析してマインドマップを作成してください

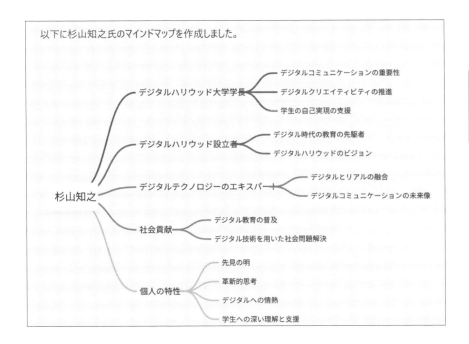

　きれいなマインドマップが作成されました。杉山氏について、学長、創設
者、専門分野、個人の特性などが整理されています。

さらに深く分析するために次のプロンプトを打ちました。

> 杉山知之氏はどんな人物でしょうか。詳細な性格分析をしてください

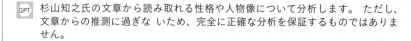

User 杉山知之氏はどんな人物でしょうか。詳細な性格分析をしてください。

GPT 杉山知之氏の文章から読み取れる性格や人物像について分析します。 ただし、文章からの推測に過ぎな いため、完全に正確な分析を保証するものではありません。

1. **ビジョナリー**：杉山氏は21世紀のデジタル化とその影響について深く理解しており、その可能性を最大限に 活用しようとしています。彼のビジョンは、デジタル技術を活用して新たな社会を築くことで、これは彼がデ ジタルハリウッド大学を設立した理由でもあります。
2. **教育者**：杉山氏は教育に深い情熱を持っています。彼は学生たちが自分たちのクリエイティビティを発見し、それを活用して自分たちの人生を創造することを強く信じています。 また、彼は学生たちが自分たちの人生を自分で創ることができる人になることを強く望んでいます。
3. **革新者**：杉山氏はデジタルコミュニケーションの力を理解し、それを活用して新たな事を起こすことにより、全世界の人々に深く影響を与えることが可能となることを強調しています。これは彼がデジタルハリウッド 大学で提供している教育プログラムにも反映されています。
4. **リーダー**：杉山氏はデジタルハリウッド大学の学長として、学校のビジョンを明確に伝え、その実現に向けてリーダーシップを発揮しています。彼は学校の成長と進歩を導き、学生たちに影響を与える新しい機会を創出しています。

　個人的な性格分析というよりも、ビジョナリー、教育者、革新者、リーダーなどの社会的な役割が見出されました。与えたデータがパブリックスピーチであったため、個人の性格を見つけにくかったかもしれません。

　さらに、こんなことを聞いてみました。

> 杉山氏に長い称号を与えるとしたらどんなものになるでしょうか

杉山氏に長い称号を与えるとしたら、どんなものになるでしょうか

GPT 1. "21世紀のデジタル革命の先駆者、教育者、ビジョナリー、デジタルハリウッド大学学長 杉山知之 "

2. " デジタルコミュニケーションのパイオニア、教育の革新者、デジタルハリウッド大学の創設者 杉山知之 "

3. " デジタル時代の教育のリーダー、ビジョナリー、デジタルハリウッド大学学長 杉山知之 "

4. "21世紀の教育の革新者、デジタルテクノロジーの先駆者、デジタルハリウッド大学学長 杉山知之 "

5. " デジタルコミュニケーションのパイオニア、教育のビジョナリー、デジタルハリウッド大学学長 杉山知之 "

6. " デジタル時代の教育のリーダー、革新的な思考家、デジタルハリウッド大学学長 杉山知之 "

7. "21世紀の教育のビジョナリー、デジタルテクノロジーのパイオニア、デジタルハリウッド大学学長 杉山知之 "

8. " デジタルコミュニケーションの革新者、教育のリーダー、デジタルハリウッド大学学長 杉山知之 "

9. " デジタル時代の教育のビジョナリー、革新的な思考家、デジタルハリウッド大学学長 杉山知之 "

10. "21世紀の教育のリーダー、デジタルテクノロジーの革新者、デジタルハリウッド大学学長 杉山知之 "

さて、このくらい杉山知之氏についてChatGPTに分析をさせると、このセッション内ではかなり詳しい情報が記憶されています。

この状態で遂にスピーチを作成させます。

プロンプト

この学長が大学設立20周年の記念パーティで挨拶をするスピーチ原稿を書いてください

User
この学長が大学設立 20 周年の記念パーティで挨拶をするスピーチ原稿を書いてください

GPT
もちろんです、以下にスピーチ原稿を作成します。

皆様、こんばんは。 デジタルハリウッド大学学長の杉山知之と申します。

今日は、デジタルハリウッド大学設立 20 周年の記念パーティにお集まりいただき、心から感謝申し上げます。 皆様のご支援、ご協力があってこそ、私たちはこの日を迎えることができました。
20 年前、私たちは一つの夢を抱きました。 それは、デジタルコミュニケーションが人類の生活を根本から変えるという未来を見つめ、その未来を創り出す人材を育てる場所を作る、という夢でした。そして、その夢が今日、デジタルハリウッド大学という形で皆様の前に存在しています。

私たちは、デジタルコミュニケーションが、どれほど大きな変革を可能にするかということを過小評価してはいけないと常に思ってきました。

「皆様、こんばんは。デジタルハリウッド大学学長の杉山知之と申します」から始まるスピーチ原稿が出力されました。

　杉山氏らしい口調、頻出する言葉が埋め込まれていて、このまま使っても問題がなさそうです。
　この原稿を見た本人も高く評価していた納得の完成度です。
　GPTs の HeyGen を使うと、このスピーチをナレーターが読み上げる動画を生成することができます。

下記の文章を映像化してください

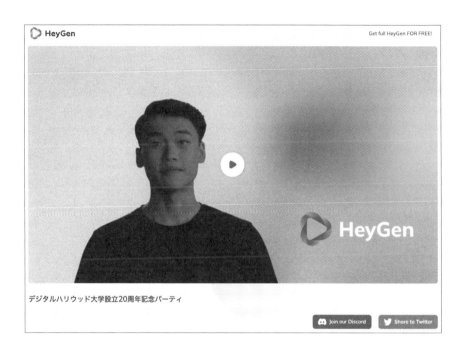

スピーチを読ませて、音で仕上がりを確認できるのは便利ですね。

実際の動画が見られます

プレゼン資料を作ってもらう

プレゼン資料のアウトラインを作って①

　全体の流れを検討した後、それを複数枚のスライドに分割して、テキストを入力し、図や表を作成して、色やデザインを整える――。プレゼン資料の作成には、「思考」だけでなく、手を動かす「作業」の部分も多いものです。

　ChatGPTはこんなとき、あなたの代わりに「作業」をしてくれます。「作業」はChatGPTに任せて、あなたは人間ならではの「思考」に集中し、短い時間でより高い成果を出しましょう。

　ロジカルかつ明瞭なアウトラインを簡単に作りたいなら、ChatGPT-4をエンジンとしたプレゼンテーション作成サービス「Gamma」（https://gamma.app/generate）**を活用しましょう。**

プレゼンテーションのテーマを入力するだけで、すぐにプレゼン資料のアウトラインを提案してくれます。

　実際の画面例を見ていきましょう。

プロンプト
生成AIがもたらす本質的変化

「Create new」というボタンをクリックして、「Generate」を選択します。テーマ「生成AIがもたらす本質的変化」を入力すると、以下のようなアウトライン案が提示されました。

Gammaが提示してくれたア
ウトライン案を確認し、必要に
応じて加筆修正しましょう。

　アウトライン案が完成した
ら、次はこれをビジュアル化し
ます。

「作成」ボタンをクリックする
と、以下のような資料を作成してくれました。

ここからは、作ってもらった資料をベースに、最終版へと仕上げていきます。

　まずは資料をPowerPointやドキュメント、Webページなど、希望する形式で書き出してもらいましょう。その後、必要に応じて加筆修正したり、図を加えたり、テキストを差し替えたりしていくだけで、プレゼン資料の出来上がりです。

　なお、このサービスは基本的に有料機能です。無料で使えるのは最初の数回のみですのでご注意ください。

プレゼン資料のアウトラインを作って②

　続いて、もう1つ事例を紹介しましょう。

　ここでは私の著書『英語は10000時間でモノになる』について、Gammaでプレゼン資料を作っていきます。

　もととなる文章は、出版社のWebサイトに掲載されている『英語は10000時間でモノになる』の目次です。Gammaの「Create new」をクリックした後、「テキストを貼り付ける」を選択して、「使用したいメモ、アウトライン、コンテンツを追加する」の欄に、目次データを貼り付けます。

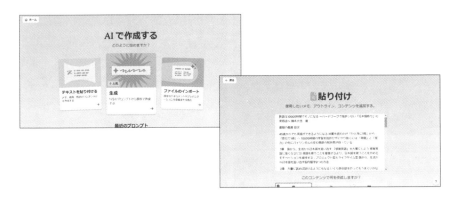

　「続ける」ボタンをクリックすると、右図のように、『英語は10000時間でモノになる』を紹介するプレゼンのたたき台を作ってくれました。与えた

目次データからほぼ各章が1枚のスライドになるように変換されています。
ちゃんと適切な説明のイラストや図が生成されます。少し手直しすれば十分
に講演で使える品質の資料です。

　最後に、Powerpoint に出力してカスタマイズすれば、自分好みのプレゼン
資料を効率的に作成することができます。

発言内容をチェックしてもらう

炎上しそうな文章を指摘して

生成AIは文章を読んで中身に問題がないか確認する能力があります。

たとえば、企業のリリースや社長のスピーチの予定原稿を確認させて、**コンプライアンス、ポリティカル・コレクトネス、ダイバーシティなどの問題がないかを確認させて、懸念事項を指摘させることができます。**

これは私が作ったスピーチ用のメモです。

秘すれば花なり

すべてのクリエイターにおすすめしたいのが『現代語訳　風姿花伝』ＰＨＰ研究所）である。風姿花伝はご存知のように、600年前に能を極めた世阿弥が書いた芸能指南の書。明治になるまで一子相伝で伝えられてきた。この書の中でも最も秘匿性が高い「口伝」で語られた「秘すれば花なり。秘せずは花なるべからず」というフレーズは有名である。この現代語訳は古い言葉で書かれたその奥義が、誰にでもわかる言葉に翻訳されている

世阿弥によると花とは、面白くて珍しいもののことである。見るものの心を動かさなければ花ではない。そして、どんなに洗練された表現でも、ありふれたものは花ではない。だから、表現者はたくさんの持ちネタを修得し、場の雰囲気に合わせて、最適なものを繰り出せるようになりなさい。それが花のある芸人ですと伝えている。
私流に超訳してしまうと、こんなことも言っている。

- 開演は会場が静まるのを待ってから始めなさい
- 昼の公演では穏やかな出し物から少しずつ盛り上げていきなさい
- 夜の公演ではいきなりテンションを高く始めなさい
- 練習中の芸は地方巡業で磨き、ここぞという東京ドーム公演で完成形を見せなさい
- 若い芸人は若さゆえの輝きを持つが、それは一瞬のことなので根気よく精進しなさい
- 35 歳で世の中に認められないなら一流は諦めたほうがいいかもしれない

　私としては特に内容に問題はないだろうと予想しつつも、念のため ChatGPT でチェックしました。

すると、私が意識していなかった炎上の可能性をいくつか指摘してきました。

プロンプト

このスピーチ原稿を読んだ上で、コンプライアンス、ダイバシティ、ポリティカル・コレクトネスの観点から、炎上する可能性がある箇所を指摘してください

　このスピーチ原稿を読んだ上で、コンプライアンス、ダイバシティ、ポリティカル・コレクトネスの観点から、炎上する可能性がある箇所を指摘してください

　1.**「年齢に関する言及」**：「35 歳で世の中に認められないなら一流は諦めたほうがいいかもしれない」この部分は年齢差別（エイジズム）にあたる可能性があります。」

2.**「秘すれば花なり」の解釈**：この文脈では、独自性やオリジナリティを秘匿することの価値を強調していますが、この表現が誤解を招く可能性があります。情報の透明性や共有の価値が重視される現代において、このような秘匿を美徳とする考え方は、コミュニケーションやオープンネスの重要性を軽視していると捉えられかねません。」

　この2点は、このスピーチをする場所によっては確かに問題になりそうです。

プロンプト

それでは1と2の箇所はどのように修正したらよいでしょうか。例を示してください

119

というプロンプトで、修正点のアドバイスをもらうことができます。こうしたやりとりを何度も続けてブラッシュアップすれば、より安心、安全なスピーチができます。

また万が一、スピーチが炎上を起こしたような場合でも

> **プロンプト**
>
> **1の点で炎上事件が起きたらどのようにコメントしたらよいでしょうか**

のようなプロンプトで炎上を消化する対策を立てることができます。

User 1の点で炎上事件が起きたらどのようにコメントしたらよいでしょうか

GPT もし1点（「35歳で世の中に認められないなら一流は諦めたほうがいいかもしれない」という年齢に関する言及）で炎上事件が起きた場合、公的なコメントを出す際には以下のポイントに注意してください。

1. 謝罪と理解の表明：
「この度は、私たちの発言が年齢に関する不適切な印象を与え、不快感をおかけしたことを心からお詫び申し上げます。当社/当団体では、全ての年齢の個人が持つ価値と可能性を尊重し、年齢に関わらずチャンスが平等に与えられるべきだと信じています。」

2. 発言の意図の説明：
「私たちの意図は、一流を目指す過程において さも経験もそれぞれに価値があるということを強調することでした。しかし、その表現が不適切であり、誤解を招いたことを深く反省しています。」

⋮

ここでは、「1 謝罪と理解の表明、発言の意図の説明、3 対策と改善の約束、4 継続的なコミュニケーションの約束」という4段階で謝罪する戦術が提示されました。

このように、あなたがもしイベントなどでスピーチをすることなどがあれば、その前にチェックしてもらうことが可能です。

ぜひ、活用してください。

データ分析を
手伝ってもらう

フレームワークで分析してもらう

ビジネスモデル分析

ChatGPTはさまざまなビジネスの分析手法を知っています。

有名コンサルティング会社のコンサルタントと並ぶ知識があると考えてい
いでしょう。分析させたいデータがあるときには、「○○○のデータを○○
○分析して」と指示すれば、博学なコンサルントのように分析を披露してく
れます。知名度のある会社については特に何も追加データを与えなくても、
かなりの精度の分析ができます。IR資料や会社案内、プレスリリース、報道
記事などを与えれば、さらに突っ込んだ内容のレポートを出してくれます。

ここでは、私が教員をしているデジタルハリウッド大学の教育サービスの
分析を例にして、有名なビジネスモデル手法を用いてChatGPTが分析した
事例をご紹介していきましょう。

一口にビジネスモデルの分析といっても、たくさんの切り口があります。
切り口を探すところからChatGPTに任せてみます。

まずChatGPTに

プロンプト

> **ビジネスモデルのフレームワーク30個**

とリクエストして、どのような分析手法があるのか、リストアップしても
らいました。

すると、「ビジネスモデルのフレームワークは、企業やスタートアップが
ビジネス構造や戦略を考える際の参考になるものです。代表的なフレーム
ワーク30個をリストアップします」という説明とともに、ビジネスモデル
キャンバスやSWOT分析、ポーターの5つの競争力、ブルーオーシャン戦略、

レッドオーシャン戦略、バリューチェーン分析、PEST分析、4P分析、7S フレームワーク、アンソフの成長マトリックス、ポジショニングマップ、カスタマージャーニーマップなど30個の分析手法をリストアップしてくれました。

 ビジネスモデルのフレームワーク30個

GPT　ビジネスモデルのフレームワークは、企業やスタートアップがビジネスの構造や戦略を考える際の参考となるも のです。以下は、代表的なビジネスモデルのフレームワーク30個をリストアップします：

　　1.　ビジネスモデルキャンバス
　　2.　SWOT分析
　　3.　ポーターの5つの競争力
　　4.　ブルーオーシャン戦略
　　5.　レッドオーシャン戦略
　　6.　バリューチェーン分析
　　7.　ペスト分析
　　8.　4P分析
　　9.　7Sフレームワーク
　　10. アンソフの成長マトリックス
　　11. ポジショニングマップ
　　12. カスタマージャーニーマップ

ChatGPTを使えばあらゆる分析が簡単にできます。

次のページからはそのうちいくつかを試してみましょう。

ビジネスモデルキャンバスを作成して

ビジネスモデルキャンバスは、ビジネスモデルを可視化するためのフレームワークです。

新しいビジネスモデルの開発、既存ビジネスモデルの評価、戦略的計画の策定に用いられます。特に、スタートアップや新規プロジェクトにおいて、ビジネスモデルを可視化し、理解しやすくするのに役立ちます。

ChatGPTにビジネスモデルキャンバスとは？ と聞いたら、このような解説がありました。

ビジネスモデルキャンバスの9要素

1. 顧客セグメント（CS：Customer Segments）
   事業がターゲットとする特定の顧客群
2. 価値提案（VP：Value Propositions）
   顧客に提供する独特な価値や解決策
3. チャネル（CH：Channels）
   価値提案を顧客に届けるための方法や手段
4. 顧客関係（CR：Customer Relationships）
   顧客との関係をどのように築き、維持するか
5. 収益の流れ（RS：Revenue Streams）
   事業からの収益源や収入の流れ
6. キーリソース（KR：Key Resources）
   事業を成功させるために必要な主要な資源
7. キーアクティビティ（KA：Key Activities）
   事業の価値提案を実現するために必要な主要な活動
8. キーパートナー（KP：Key Partners）
   事業を運営する上で重要なパートナーシップや協力関係
9 コスト構造（CS：Cost Structure）
   事業運営に必要なコストや支出

デジタルハリウッド大学の教育サービスのビジネスモデルキャンバスを作成してください

とリクエストしたところ、下の図のような回答が得られました。

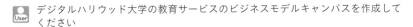
User デジタルハリウッド大学の教育サービスのビジネスモデルキャンバスを作成してください

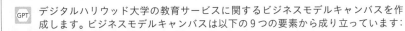
GPT デジタルハリウッド大学の教育サービスに関するビジネスモデルキャンバスを作成します。ビジネスモデルキャンバスは以下の9つの要素から成り立っています:

I. 顧客セグメント (Customer Segments)
2. 価値提案 (Value Propositions)
3. チャネル (Channels)
4. 顧客関係 (Customer Relationships)
5. 収益の流れ (Revenue Streams)
6. 主要リソース (Key Resources)
7. 主要活動 (Key Activities)
8. 主要パートナーシップ (Key Partnerships)
9. コスト構造 (Cost Structure)

ChatGPTの9項目の回答をWeb上で配布されているビジネスモデルキャンバスのテンプレート上にレイアウトしてみました。とてもよくできています。

125

SWOT分析して

SWOT分析は、Strengths(強み)、Weaknesses(弱み)、Opportunities(機会)、Threats(脅威) の頭文字を取ったもので、企業や組織の内部環境と外部環境を分析するためのツールとして広く用いられています。

ChatGPTにSWOTとは何かと聞くと以下のような回答がありました。

SWOT分析の目的

1. 企業や組織の現状を把握する
2. 戦略の方向性を決める
3. 目標を達成するための具体的な計画を立てる
4. リスクを評価する

SWOT分析の4要素

1. 強み （Strengths）
2. 弱み （Weaknesses）
3. 機会 （Opportunities）
4. 脅威 （Threats）

プロンプト

デジタルハリウッド大学の教育サービスをSWOT分析して表にしてください

とリクエストしたところ、以下のような回答が得られました。

 User デジタルハリウッド大学の教育サービスを SWOT 分析して表にしてください

 GPT **SWOT分析表**

要素	説明
強み (S)	- 先進的なデジタルクリエイティブ教育の提供 - eラーニングと対面授業の組み合わせによるハイブリッド教育モデル - ICTを活用した教育手法の導入と高い技術力 - インダストリーとの連携による実践的な学習機会
弱み (W)	- デジタルクリエイティブ分野に特化しているため、他分野への柔軟性が低い可能性 - 高度な技術教育には専門的な設備や高い学費が必要になること
機会 (O)	- デジタル化が進む社会での高いニーズ - オンライン教育の普及による新たな学生層の獲得 - 国内外の大学や企業との更なる連携拡大 - 新技術（AI、VR/AR等）の教育への統合
脅威 (T)	- 他の大学や専門学校との競争の激化 - 技術の急速な進化による教育内容の陳腐化 - 経済状況の変化による学生の募集難

ポーターの5つの競争力で分析して

次に試すのはポーターの5つの競争力（Porter's Five Forces）」です。特定の業界の競争環境を分析するモデルです。ChatGPTに説明させると、以下の5つの力に基づいています。

ポーターの5つの競争力の分析要素

1. 新規参入者の脅威（Threat of New Entrants）
2. 代替品の脅威（Threat of Substitutes）
3. 買い手の交渉力（Bargaining Power of Buyers）
4. 供給者の交渉力（Bargaining Power of Suppliers）
5. 競合他社との競争（Intensity of Competitive Rivalry）

プロンプト

デジタルハリウッド大学の教育サービスをポーターの5つの競争力モデルの観点から分析して表にしてください

とリクエストしたところ、以下のような回答が得られました。

User デジタルハリウッド大学の教育サービスをポーターの5つの競争力の観点から分析して表にしてください

GPT デジタルハリウッドの大学の教育サービスをポーターの5つの競争力モデルの観点から分析した結果を表形式で以下のように表現します：

競争力の要素	デジタルハリウッド大学の教育サービス分析
新規参入の脅威	オンライン教育プラットフォームの台頭により教育市場への新規参入が容易になっているが、専門性とブランド力は新規参入者にとっての障壁を形成する。
代替品の脅威	自習用のオンラインコースや無料の教育リソースが増加しており、伝統的な教育機関にとって代替品の脅威となる。特にデジタルクリエイティブ分野では、独学や短期コースが強力な代替手段となり得る。
買い手の交渉力	学生（顧客）は多様な教育オプションを選択できるため、費用、品質、アクセシビリティに基づいて選択を行う。デジタルハリウッド大学は独自のカリキュラムや業界との連携を通じてこの交渉力に対応する必要がある。
供給者の交渉力	専門的な教員や業界経験豊富な講師は限られており、彼らの交渉力は比較的高い。高品質な教育コンテンツや技術サポートを提供する外部サービスプロバイダーも同様に高い交渉力を持つ可能性がある。
競合他社との競争	他の専門学校、大学、オンライン教育プラットフォームとの競争は激しい。デジタルハリウッド大学は、カリキュラムの質、産業界との連携、卒業生の就職実績などで競争優位を確保する必要がある。

企業とユーザーの接点を時系列で図解するカスタマージャーニーマップのような複雑な図もChatGPTで作成できます。

ここではShow Me Diagrams GPTsを使用します。最初に「カスタマージャーニーマップとは？」と聞くと下記のような回答が返ってきました。

カスタマージャーニーマップでは、ユーザーが商品を認知してから優良顧客になるまでの各段階の重要性やユーザーと企業の間の距離をグラフで表現するオプションがありますが、このGPTsはその複雑な表現も実現しています。

5Aカスタマージャーニーマップの要素

1. 認知（Aware）：顧客が商品やサービスを知る段階
2. 訴求・考慮（Appeal）：顧客が商品やサービスに魅了され比較検討する段階
3. 調査・決定（Ask）：顧客が商品やサービスを比較検討し購入決定する段階
4. 行動（Act）：顧客が購入した商品やサービスを体験する段階
5. 拡散（Advocate）：顧客が購入した商品やサービスを推奨・拡散する段階

5Aカスタマージャーニーマップの検討事項

1. 顧客のペルソナ（Persona）：目標の顧客の詳細なプロフィール
2. 接触点（Touchpoints）：顧客が製品やサービスと接触するすべての点
3. 顧客の感情（Emotion）：各接触点での顧客の感情や反応
4. 顧客の行動（Action）：顧客が各段階で取る行動や意思決定
5. 痛点（Pain Points）と機会（Opportunity）：顧客体験の問題点や改善の機会

デジタルハリウッド大学の教育サービスのカスタマージャーニーマップを作成してください

とリクエストしたところ、図のような回答が得られました。

User デジタルハリウッド大学の教育サービスのカスタマージャーニーマップを作成してください。

GPT デジタルハリウッド大学のカスタマージャーニーマップを以下に示します。

次のページに作成されたカスタマージャーニーマップを3分割して掲載しています。

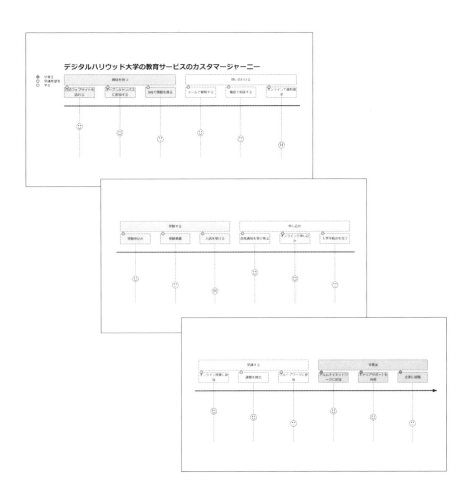

統計のデータを分析しよう

ほしい情報をWeb出力して

　ここではデータをPythonを使って分析して、その結果をインタラクティブなWebページとしてデザインするまでをChatGPTで一気通貫に行ったケースを紹介します。**1つのツールが幅広い作業に対応できることに驚かされます。**

　データとしては独立行政法人統計センターにあるSSDSE（教育用標準データセット：https://www.astac.go.jp/ace/itercy/sdse/）を使います。これは統計リテラシーを学ぶために用意されたデータセットですが、中身は興味深いリアルなデータです。分析しやすくきれいに整えられており、ChatGPTのデータ分析の練習に向いています。

　まず、SSDSEの学習用データ「都道府県庁所在市別家計消費データ」をダウンロードします。

このデータは都道府県の県庁所在地の家計消費データを集計しています。

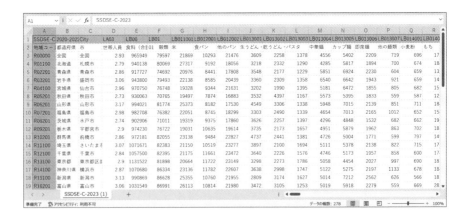

Excel を開くとわかりますが、200項目以上の巨大な表です。

　これをそのまま ChatGPT にアップロードしてもある程度は処理してもらえるのですが、分析の精度を上げるために不必要な項目は削除してからアップするのがコツです。

　たとえば SSDSE コード、地域コードなど、今後のデータ分析に必要なさそうな列は削除してしまいます。

　レイアウトのための列やコメントがある場合も削除したほうがよいです。そして ChatGPT は複雑な Excel ファイルよりも、シンプルな形式のファイルのほうが、処理の精度が高くなります。

　ここでは Excel から必要項目だけを CSV ファイルとして渡しました。

次に、

全項目においてトップの自治体名を表にしてください

とリクエストします。すると、「了解しました」と言って、結果を表示します。表示された表を見ると、米は静岡市、食パンは神戸市、生うどん・そばは高松市といったように、それぞれの項目においてトップの自治体名が表示されていることがわかります。

> 👤 **User** 全項目においてトップの自治体名を表にしてください
>
> 🤖 **GPT** 了解しました。各消費項目において、最も高い消費金額を持つ自治体を特定して、その情報を表にまとます。それでは、分析を進めます。
>
> Finished working   Show work ⌄
>
> 各消費項目において最も高い消費金額を持つ自治体を示す表の先頭10行を以下に示します。
>
> | 消費項目 | 都道府県 | 市 |
> |---|---|---|
> | 食料（合計） | 東京都 | 東京都区部 |
> | 01 穀類 | 京都府 | 京都市 |
> | 米 | 静岡県 | 静岡市 |
> | 食パン | 兵庫県 | 神戸市 |
> | 他のパン | 京都府 | 京都市 |
> | 生うどん・そば | 香川県 | 高松市 |
> | 乾うどん・そば | 秋田県 | 秋田市 |

ここで私は、

このファイルをCSVとして保存してください

とリクエストして、「各消費項目のトップ自治体一覧」のファイルをダウンロードし、内容を確認してみました。

　たとえば、食糧（合計）の消費金額が最も高いのは東京都の区部、01 穀類（穀類全体）の消費が多いのは京都市、食パンの消費が最も多いのは兵庫県神戸市というように、消費金額が多い県庁所在地の自治体が抽出されました。

　このデータには合計、全体のカテゴリーレベルの情報と、パンやうどんのような個別レベルの情報があることがわかります。

　次にこのデータを Web ページに変換してみます。

> **このCSVデータを美しいHTMLの表にしてください**

とリクエストしました。

User この CSV データを美しい HTML の表にしてください

GPT 了解しました。CSVデータを美しいHTMLの表に変換します。

この変換にはPythonの `pandas` ライブラリを利用し、スタイルを適用してHTMLの表を生成します。それでは、作業を開始します。

Finished working　　Show work ∨

CSVデータを美しいHTMLの表に変換しました。以下のリンクからHTMLファイルをダウンロードできます：

各消費項目のトップ自治体一覧 (HTML)

必要に応じて、このHTMLファイルをウェブページに組み込むこともできます。何か他にご質問やリクエストがございましたら、お知らせください。

ChatGPTはPythonのコードが書けるだけでなく、Webページを作るHTMLやCSS、JavaScriptの生成も得意です。

各消費項目のトップ自治体一覧		
消費項目	都道府県	市
食料（合計）	東京都	東京都区部
01　穀類	京都府	京都市
米	静岡県	静岡市
食パン	兵庫県	神戸市
他のパン	京都府	京都市
生うどん・そば	香川県	高松市
乾うどん・そば	秋田県	秋田市
パスタ	東京都	東京都区部
中華麺	岩手県	盛岡市
カップ麺	新潟県	新潟市
即席麺	鳥取県	鳥取市
他の麺類	神奈川県	横浜市
小麦粉	長野県	長野市

そうすると、「各消費項目のトップ自治体一覧」のHTMLファイルをダウンロードできるようになります。ただ、最初に出来上がってきたのは、ラベル名をグレーにしているくらいのものでした。「消費項目」の幅も広過ぎました。それから、細かいことですが、ところどころ「01　穀類」とか「02　魚介類」「04　乳卵類」といったカテゴリー名が入っています。そこで、

> **プロンプト**
> **「消費項目」の幅は狭くしてください**

とリクエストしました。すると次のページの上の図が作成されました。

続けて、「01　穀類」「02　魚介類」「04　乳卵類」といったカテゴリーの例を示して、以下の項目の行はカテゴリーを意味していますと伝え、最初はカテゴリー名のみを表示し、

> **プロンプト**
> **ユーザーがクリックしたらカテゴリーの情報を表示するようにしてください**

とリクエストしました。

各消費項目のトップ自治体一覧

消費項目	都道府県	市
食料（合計）	東京都	東京都区部
01　穀類	京都府	京都市
米	静岡県	静岡市
食パン	兵庫県	神戸市
他のパン	京都府	京都市
生うどん・そば	香川県	高松市
乾うどん・そば	秋田県	秋田市
パスタ	東京都	東京都区部
中華麺	岩手県	盛岡市
カップ麺	新潟県	新潟市
即席麺	鳥取県	鳥取市
他の麺類	神奈川県	横浜市
小麦粉	長野県	長野市
もち	石川県	金沢市
他の穀類のその他	神奈川県	横浜市
02　魚介類	富山県	富山市
まぐろ	静岡県	静岡市
あじ	山口県	山口市
いわし	鳥取県	鳥取市
かつお	高知県	高知市

　すると、カテゴリーを表示して、それをクリックするとそのカテゴリーに属する項目を表示するという意味を理解できなかったようで、下図のようなシンプルな表がアウトプットされました。

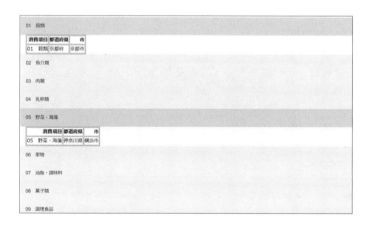

　よりイメージに近いアウトプットを得られるよう、次のように指示すると、

136

プロンプト

違います。カテゴリー「01　穀類」をクリックしたら「02　魚介類」の直前の行まで表示してほしいのです。それ以降のカテゴリーも同様の処理を行ってください。

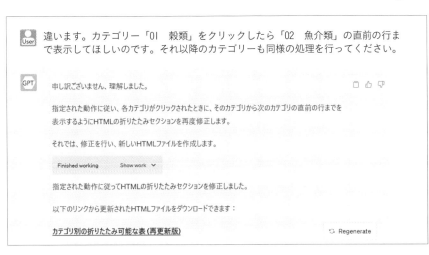

すると、今度は下図のような表を出してくれました。

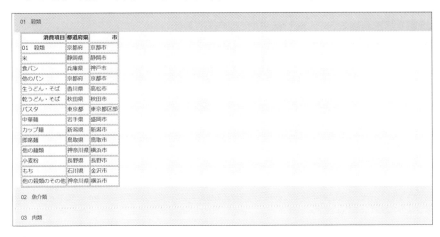

想定していたアウトプットにかなり近いものになりました。

さらにデザインを変更してみましょう。

Netflix ふうの洗練されたデザインにしてください

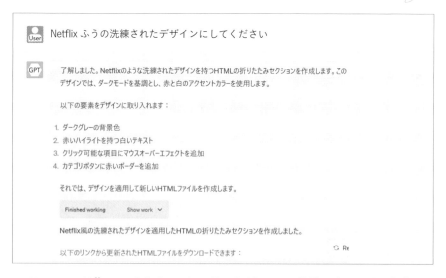

ChatGPT が作ってくれたのは、ダークグレーの背景に赤というデザインです。

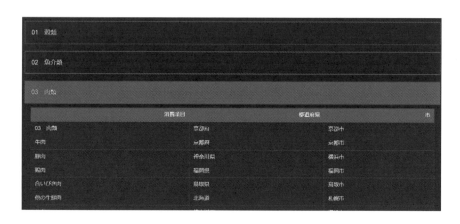

私はもっと落ち着いたデザインがいいと思ったので、以下のようにリクエストし、かなりイメージに近い表を手に入れることができました。

スターバックスふうの洗練されたデザインにして、インタラクティブな機能を追加して

👤 **User** スターバックスふうの洗練されたデザインにして、インタラクティブな機能を
追加して

🔲 **GPT** 了解しました。スターバックス風の洗練されたデザインに合わせて、HTMLの折りたたみセクションのスタイル
を修正します。

スターバックスのデザインは、シンプルでエレガントなものが多いです。緑色のロゴが特徴的ですが、その他の
色やフォントも洗練されています。この特徴を考慮して、折りたたみセクションのデザインを修正します。

それでは、スターバックス風のデザインに合わせて、HTMLの折りたたみセクションのスタイルを更新します。

Finished working　　Show work ∨

スターバックス風のデザインに合わせて、HTMLの折りたたみセクションのスタイルを更新しました。

以下のリンクからデザイン更新されたHTMLファイルをダウンロードできます：

カテゴリ別の折りたたみ可能な表 (スターバックス風)

このHTMLファイルを開くと、スターバックス風の洗練されたデザインで情報が表示されます。　↻ Regenerate

すると、今度はこんなデザインが上がってきました。

| 01 穀類 | | |
02 魚介類		
消費項目	**都道府県**	**市**
02　魚介類	富山県	富山市
まぐろ	静岡県	静岡市
あじ	山口県	山口市
いわし	鳥取県	鳥取市
かつお	高知県	高知市
かれい	鳥取県	鳥取市
さけ	北海道	札幌市
さば	鹿児島県	鹿児島市
さんま	秋田県	秋田市
たい	愛媛県	松山市
ぶり	富山県	富山市

ただ、少し気になった部分もあったので次のように入力しました。

横幅が広すぎる

 User　横幅が広すぎる

GPT　申し訳ございません。

表の横幅を狭くするために、最大の横幅を設定し、必要に応じて内部のテキストが折り返されるようにスタイルを調整します。

それでは、表の横幅を調整して、新しいHTMLファイルを作成します。

Finished working　　Show work ∨

表の横幅を調整しました。以下のリンクから横幅が調整されたスターバックス風のHTMLファイルをダウンロードできます：

カテゴリ別の折りたたみ可能な表 (スターバックス風・横幅調整版)

このHTMLファイルを開くと、スターバックス風のデザインで、横幅が狭められた形で情報が表示されます。

何か他にご質問やリクエストがございましたら、お知らせください。　　↻ Rege

そうして、最後に出来上がったものがこちらです。

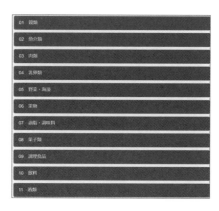

クリックすると折りたたみも表示されました。

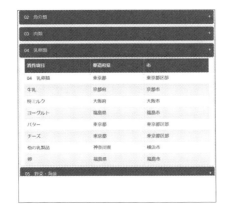

Javascriptのインタラクティブな要素や、カラフルなデザインが2色の紙面では伝わりにくいかもしれません。

実際にできたWebページはこちらです。

世界のユニコーン企業を
分析しよう

グラフや表を生成して

　英語のデータをさまざまな角度から分析し、グラフやリストを作成することも可能です。ここでは、世界中のユニコーン企業（評価額10億ドル以上・設立10年以内の未上場ベンチャー企業）を分析してみましょう。

　まずはユニコーン企業のデータ収集です。世界中のユニコーン企業を網羅しているWebサイト「The Complete List Of Unicorn Companies」（https://www.cbinsights.com/research-unicorn-companies）より、ユニコーン企業のあらゆる情報をダウンロードします。

私がファイルをダウンロードした2023年6月版には1216社ありました。

時価総額1位はTikTokのByteDance、2位はイーロン・マスクの宇宙開発会社SpaceX、3位はオンラインのファストファッションのSHEINと並んでいて、10位にOpenAIがランクインしています。

このファイルをChatGPTにアップロードして、まず、

> **プロンプト**
>
> **本社がある国別で円グラフを作成してください**

とリクエストしてみました。

すると、1位：米国（54%）、2位：中国（14.1%）、3位：インド（5.8%）といった円グラフを作成してくれました。

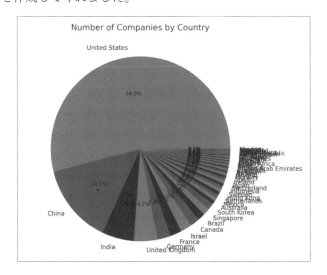

次に、

> **プロンプト**
>
> **本社がある都市別でグラフを作成してください**

とリクエストすると、1位：サンフランシスコ（171社）、2位：ニューヨーク（119社）、3位：北京（62社）、4位：上海（42社）、5位：ロンドン（41社）といった棒グラフをすぐに表示してくれました。

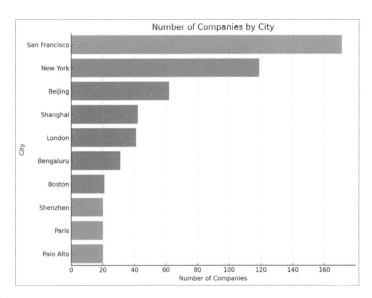

次に、

企業が所属する産業別で円グラフを作成してください

とリクエストすると、「最も多くのユニコーン企業が存在する産業は、エンタープライズ・テック、金融サービス、消費者＆小売などとなっています」というコメントとともに産業別円グラフを作成してくれました。

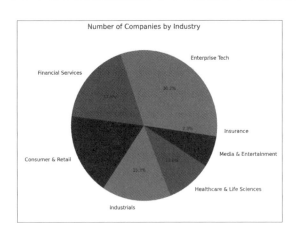

そこで、今度は

**企業の名前を分析して頻出語のリストを作成し、それをもとに
ワードクラウドを作成してください**

とリクエストしてみました。

このワードクラウドから、Health、Group、Technology、Labsなどが特に頻繁
に出現することがわかります。

日本に本社を置くユニコーン企業のリストを抽出してください

とリクエストすると、「1位：Preferred Networks、評価額$2Billion(以下B)、
東京、IoT分野、主要投資家はトヨタ自動車、みずほ金融グループなど」「2
位：SmartNews、評価額$2B、東京、メディア＆エンターテインメント分野、
主要投資家はJapan Post Capital、Globis Capital Partners、Atomicoなど」「3
位：SmartHR、評価額$1.6B、東京、エンタープライズテック分野、主要投
資家はBEENEXT、World Innovation Lab、Light Street Capitalなど」といった
ように、すぐにデータ分析した結果を表示してくれます。

そして、

最近急成長しているユニコーン企業を抽出して

とリクエストすると、以下のように教えてくれました。

> User 最近急成長しているユニコーン企業を抽出して

> GPT 2023年にユニコーン企業となった企業の中で、評価額が最も高い企業は以下の通りです。
> **Anthropic**：評価額44億ドルの米国・サンフランシスコに本拠地を置くエンタープライズ・テック企業で、Googleからの投資を受けています。
> **eToro**：評価額35億ドルの英国・ロンドンに本拠地を置く金融サービス企業で、BRM Group、Spark Capital、Social Leverageからの投資を受けています。
> **CoreWeave**：評価額22.2億ドルの米国・ローズランドに本拠地を置くエンタープライズ・テック企業で、Magnetar Capitalからの投資を受けています。
> **Cohere**：評価額20億ドルのカナダ・トロントに本拠地を置くエンタープライズ・テック企業で、Index Ventures、Salesforce Ventures、Section 32からの投資を受けています。
> **ShiftKey**：評価額20億ドルの米国・ダラスに本拠地を置くヘルスケア＆ライフサイエンス企業で、Health Velocity Capitalからの投資を受けています。

最後に、

ファイルを分析して、10種類の洞察力のあるグラフや表を作成して

とリクエストすると、次ページのような10種類のグラフや表を作成してくれました。

10種類のさまざまなグラフを出した後に「さらにもう10個」といえば、分析の角度を変えて作成してくれます。主要分析結果を一覧するダッシュボードを簡単に実現できます。また、「洞察力のある」をつけることで、基本統計量の報告ではなく、何かしら意味のある視点を見つけてくれます。**「面白い」「意外な」「斬新な」などの形容詞で角度をつけてみるのもいいでしょう。** グラフの見た目を「スタイリッシュな」「見やすい」「3パターンのデザインで」のように指示して変えることもできます。

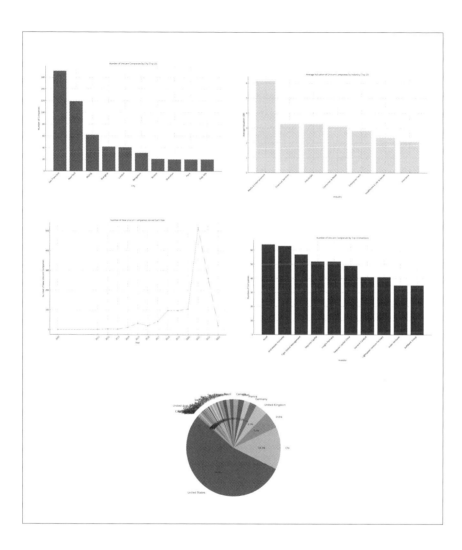

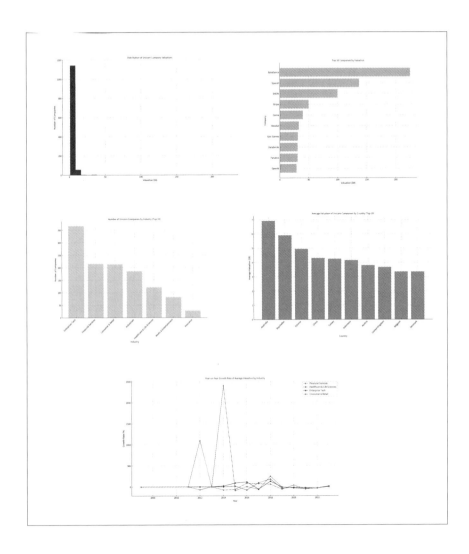

148

レーダーチャート
作成・相関分析をしよう

日本の昔話を分析して

ChatGPTの分析機能を活用すれば、インプットしたデータをもとにレーダーチャートを作ったり、相関分析をしたりすることもできます。

レーダーチャートとは、1つの調査対象に対して、横断面データなどにおける複数の項目の結果を表示し、量の大小を把握しつつ、構成比においてそのバランスや特徴を見るときなどに使用されるものです。

たとえば、競合他社のプロフィールをインプットすれば、分析結果をさまざまな形でアウトプットしてくれます。企業や商品、サービスの分析をしたいときや、上司から「競合他社を分析してレポートにまとめてください」「競合サービスのレーダーチャートを作ってください」などと依頼されたときには、ChatGPTを活用し、質の高いアウトプットを効率的に作成しましょう。

ここでは一例として、ChatGPTで日本の昔話を分析します。

プロンプト
> **日本の昔話を10挙げて**

とリクエストすると、以下の10の有名な日本の昔話を挙げてくれました。

GPT　1. 桃太郎
　　　おじいさんとおばあさんが桃から生まれた少年と共に鬼を退治する話。
　　2. 浦島太郎
　　　海亀を助けた男性が竜宮城を訪れ、帰ると数百年が経過していたという話。

3. 一寸法師
　小さな体の少年がさまざまな試練を乗り越えて成長する話。
4. かぐや姫
　竹取の翁が見つけた美しい女性が実は月の都から来た姫だったという話。
5. 金太郎
　山の中で育ち、強力な力を持つ少年が大人になってからの活躍を描いた話。
6. 天狗のすもう
　天狗にすもうを教えてもらった男が村を救う話。
7. 鶴の恩返し
　助けた鶴が美しい女性に変わり、男性を助ける話。
8. 猿蟹合戦
　猿と蟹の間で起こる争いとその結末を描いた話。
9. 花咲かじいさん
　貧しいが優しい老人が神様からの恩恵を受ける話。
10. 雪女
　雪の中で出会った美しい女性が実は雪女だったという話。

次に、

プロンプト

これらの物語に喜劇度（1-10）、悲劇度（1-10）、教訓度（1-10）、娯楽度（1-10）、知名度（1-10）を評価して表にして

とリクエストすると、すぐに評価をして、表にしてくれます。

User これらの物語に喜劇度（1-10）、悲劇度（1-10）、教訓度（1-10）、娯楽度（1-10）、知名度（1-10）を評価して表にして

GPT 以下にそれぞれの物語に対する評価を表にまとめてみました。ただし、これらの評価は主観的なものであり、人によって感じ方は異なるかもしれません。

物語	喜劇度	悲劇度	教訓度	娯楽度	知名度
桃太郎	7	2	8	8	10
浦島太郎	3	8	7	7	10
一寸法師	5	4	8	7	9
かぐや姫	2	8	6	7	10
金太郎	6	2	7	7	9
天狗のすもう	7	3	6	7	7
鶴の恩返し	3	7	9	7	9

次に、

物語の特性を個別にレーダーチャートにしてください

とリクエストしてみました。すると、次のような図が出てきました。

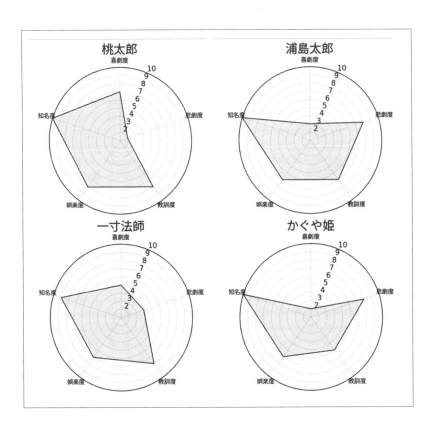

151

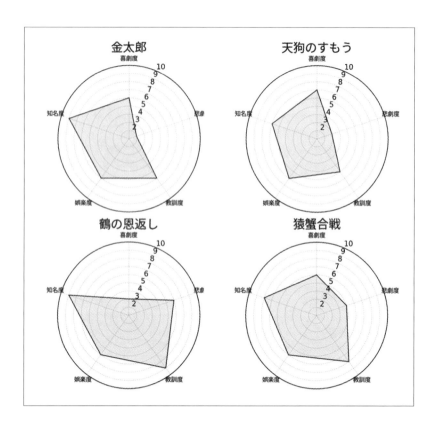

そして、

プロンプト
　　物語の特性の相関分析をしてください

とリクエストすると、それぞれの物語の評価軸の間の相関関係を分析して
くれます。

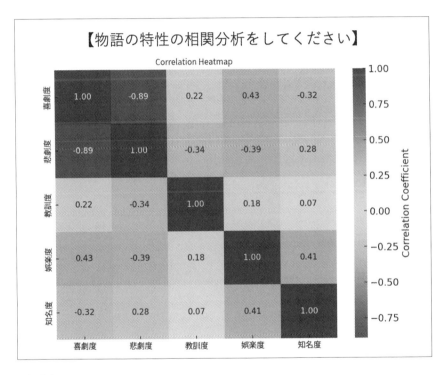

さらに、

プロンプト
　　分析を報告してください

とお願いしました。

分析を報告してください

GPT 今回分析したデータは、10 の日本の昔話について、「喜劇度」、「悲劇度」、「教訓度」、「娯楽度」、「知名度」の 5 つの属性を評価したものです。各属性の平均値は以下のとおりです：
喜劇度：4.6
悲劇度：4.9
教訓度：7.4
娯楽度：7.1
知名度：8.8
主な発見
「喜劇度」と「悲劇度」の間には強い負の相関があり、物語が喜劇的要素を強く含むほど、悲劇要素は少なくなる傾向があります。
「喜劇度」と「娯楽度」の間には正の相関があり、物語が喜劇的要素を強く含むほど、その娯楽性も高まる傾向があります。
「悲劇度」と「知名度」の間にはやや弱い正の相関があり、物語が悲劇的要素を多く含むほど、その知名度がやや高まる傾向があります。

ChatGPT は、こういった使い方もできるのです。

データを分析して
レポート文書に仕上げよう

視聴率を分析して、レポートを仕上げる

　ChatGPTはデータを分析できるだけでなく、その結果を説明する長文の
レポートを書くことができます。

　これは、分析するだけのExcelとの大きな違いです。ここでは日本のテレ
ビの視聴率のヒストリカルデータを分析して、テレビの見られ方の変遷を解
説するレポートに仕上げてみます。

Ｉ　データの用意

　日本のテレビの代表局としてNHK、その人気番組であるNHK紅白歌合
戦と大河ドラマの視聴率データを準備しました。

「NHK紅白歌合戦　視聴率データ」「NHK大河ドラマ 視聴率データ」と
Googleで検索すればすぐにWeb上の表が見つかります。これらの表をコ
ピー＆ペーストでExcelに入れてCSVデータとして保存しました。

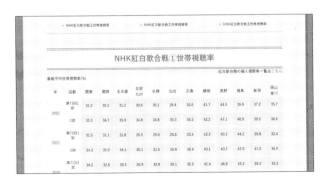

紅白歌合戦視聴率はビデオリ
サーチから
https://www.videor.co.jp/
tvrating/past_tvrating/
music/02/nhk-2.html

大河ドラマ視聴率は「社会実
情データ図録」から
https://honkawa2.sakura.
ne.jp/3967.html

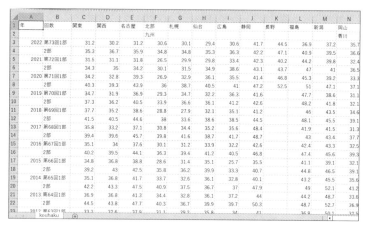

Excel で CSV データとして保存する

2 データの下処理

データ分析プロジェクトでは、データを分析し、きれいにすることに手間がかかるものです。

今回のデータには欠損値や異常値はないのですが、紅白歌合戦のデータで分析するのに少しやっかいな点が見つかりました。

1962年から2023年までの視聴率データがあるのですが、1989年以降に番組前半を第1部、後半を第2部として1回の放送につき2つの視聴率が記録されているのです。グラフを描かせるときに問題になります。

そこで次のような指示を与えました。

> プロンプト
>
> 紅白歌合戦の関東の視聴率で1部と2部がある年は、1部と2部の平均を視聴率とします

3 データを分析しグラフ化する

そして、日本語でグラフを作る際の文字化け対策として日本語フォントをアップロードし、

> 今後グラフを作成するときにはこの日本語フォントを利用する

と、入力しました。

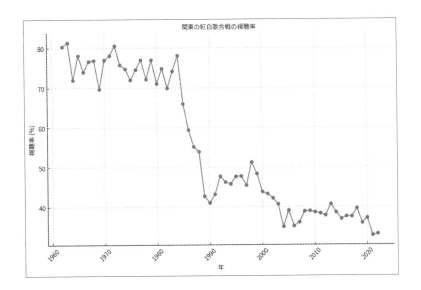

すると、まだグラフ作成は指示していなかったのですが、察してくれたのでしょう。こんなグラフが表示されました。

1960年代には80％もあった視聴率が80年代後半に大きく落ち込み、その後も低落傾向にあることがわかります。

同じように大河ドラマのデータをアップロードして、リクエストしました。

NHK大河ドラマの視聴率です。同じようにグラフ化してください

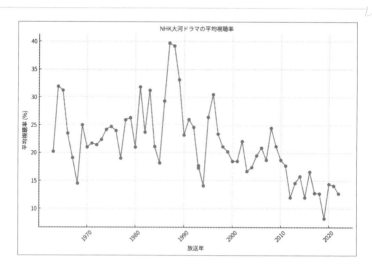

4 2つの時系列データを重ね合わせる

紅白歌合戦の関東の視聴率と大河ドラマの視聴率の変化をグラフにして

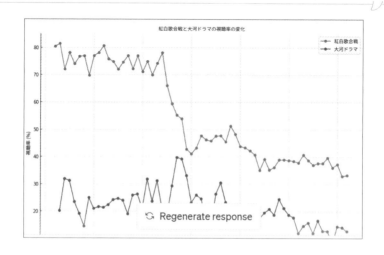

とリクエストした2つのグラフを重ね合わせました。

最初は2つのデータの線が同じ緑色で表示されて見にくかったので、

プロンプト

紅白を赤で、大河ドラマを青で、より大きなフォントで作成してください

というプロンプトを追加してできたのが、この複合グラフです。

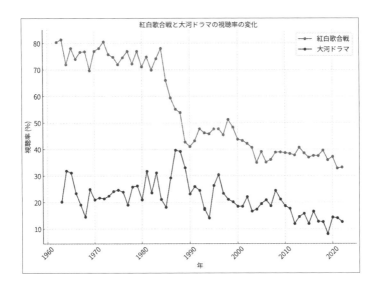

5 グラフを説明させる

次に、

このグラフを分析してレポートにしてください

とリクエストしました。

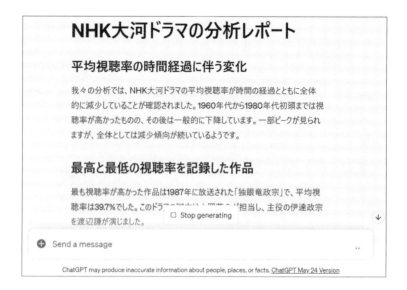

すると、グラフを説明するレポートが出力されました。

「平均視聴率の時間経過に伴う変化」や「最高と最低の視聴率を記録した作品」「平均視聴率上位5作品と下位5作品」「結論」という4部構成のレポートになりました。

Wordのファイルとして出力してください

と指示すると、

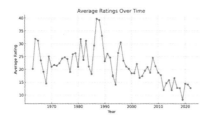

NHK 大河ドラマの分析レポート

平均視聴率の時間経過に伴う変化
我々の分析では、NHK 大河ドラマの平均視聴率が時間の経過とともに全体的に減少していることが確認されました。1960 年代から 1980 年代初頭までは視聴率が高かったものの、その後は一般的に下降しています。一部ピークが見られますが、全体としては減少傾向が続いているようです。

最高と最低の視聴率を記録した作品
最も視聴率が高かった作品は 1987 年に放送された「独眼竜政宗」で、平均視聴率は 39.7％でした。このドラマの脚本は山岡荘八が担当し、主役の伊達政宗を渡辺謙が演じました。
一方、最も視聴率が低かった作品は 2019 年に放送された「いだてん〜東京オリムピック噺〜」で、平均視聴率は 8.2％でした。このドラマの脚本は宮藤官九郎が担当し、主

マイクロソフトのWordで扱える文書ファイルに変換されました。
ChatGPTはPythonのライブラリを用いて、いろいろなアプリケーションのファイルの生成ができるのです。
　PDFに変換することも可能です。

6 分析を深める

プロンプト

> この2つのデータを徹底的に分析して興味深い発見を報告してください

とリクエストしたところ、こんな回答がありました。

 User この2つのデータを徹底的に分析して興味深い発見を報告してください

GPT **紅白歌合戦**

最高視聴率を記録したのは1963年で、視聴率は81.4%でした。この年は紅白歌合戦が14回目の放送で、当時の日本ではテレビが普及し始め、家庭のリビングで大晦日を過ごす文化が広まっていた時期です。また、この年の紅白歌合戦には美空ひばり、フランク永井、三橋美智也といった当時の人気歌手が出演しており、それが高視聴率に貢献した可能性があります。

最低視聴率を記録したのは2021年で、視聴率は32.9%でした。この年は新型コロナウイルスの影響で、無観客での開催や出演者の感染による出演キャンセルなど、従来とは異なる形での開催となりました。また、インターネットやストリーミングサービスの普及により視聴形態が多様化し、視聴者が分散したことも視聴率低下の一因と考えられます。

大河ドラマ

最高視聴率を記録したのは1987年で、視聴率は39.7%でした。この年の大河ドラマは「独眼竜政宗」で、伊達政宗を主人公としたストーリーでした。伊達政宗を演じたのは当時人気俳優だった渡辺謙で、その演技力とドラマのストーリーが視聴者を引きつけ、高視聴率を記録しました。

最低視聴率を記録したのは2019年で、視聴率は8.2%でした。この年の大河ドラマは「いだてん〜東京オリムピック噺〜」で、明治から昭和初期にかけてのオリンピックを舞台にしたストーリーでした。しかし、歴史上の人物や事件を描いた従来の大河ドラマのフォーマットから大きく逸脱した内容は視聴者からの評価が分かれ、視聴率は低下しました。

次に、

プロンプト

> 10年間の移動平均を計算してトレンドを観察します。また視聴率が最も高かった年と最も低かった年を特定し、その年の特徴を調査してください

とリクエストしたところ、次のようなグラフとこんな回答が生成されました。

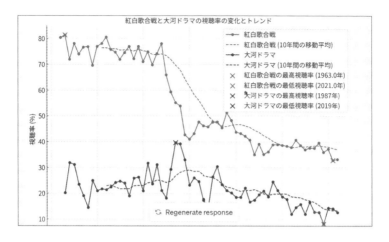

GPT **1960 年代 – 1970 年代**：この期間は日本全体でテレビの普及が進んだ時期で、紅白歌合戦の視聴率は 50% を超え、一時は 80% を超えるなど非常に高い水準でした。一方、大河ドラマは 1963 年の「花の生涯」から始まり、初期の作品は 20% 前後の視聴率で安定していました。
1980 年代：この期間は紅白歌合戦の視聴率が順調に 60% を超えて推移していました。一方、大河ドラマは「独眼竜政宗」（1987 年）で最高の 39.7% を記録するなど、一部の作品で非常に高い視聴率を達成しました。

1990 年代：紅白歌合戦の視聴率は 50% を下回ることが多くなり、大河ドラマも 20% 前後で推移していました。しかし、「八代将軍吉宗」（1995 年）では平均視聴率 30.5% を達成するなど、一部の作品では高い視聴率を維持していました。

2000 年代初頭：この頃は紅白歌合戦と大河ドラマの視聴率が双方ともに下降傾向にありました。これは、インターネットの普及による情報の多様化や、他のエンターテイメントとの競争の激化による影響が考えられます。また、大河ドラマにおいては、「北条時宗」（2001 年、平均視聴率 15.5%）や「利家とまつ」（2002 年、平均視聴率 22.4%）など、一部の作品で視聴率が上昇したものの、全体としては下降傾向が続きました。

2010 年代：紅白歌合戦の視聴率は 40% 前後で安定していましたが、2019 年以降は 30% を下回るなど、下降傾向が続いています。一方、大河ドラマは「龍馬伝」（2010 年、平均視聴率 24.5%）や「八重の桜」（2013 年、平均視聴率 22.4%）など、人気作が放送された年には視聴率が上昇しました。しかし、「いだてん〜東京オリムピック噺〜」（2019 年、平均視聴率 8.2%）という、従来の大河ドラマの形式から逸脱した作品では視聴率が大きく下落しました。

> **2020 年代：**新型コロナウイルスの世界的なパンデミックは、テレビ番組の制作
> や放送にも影響を与えました。無観客での開催や出演者の感染による出演キャ
> ンセルなど、従来とは異なる形での開催となった 2021 年の紅白歌合戦は、視聴
> 率が過去最低の 32.9% となりました。

　なお、この回答文章は 9 割正しいのですが、一部グラフ読み取りを間違った数字が含まれていました。

　生成 AI の成果物を使う際には、人間がデータと照らし合わせて確認する必要があります。

7　レポートの結論

　結論にはこう書かれていました。

> GPT　これらの観察から、視聴率は社会的な状況、テクノロジーの発展、視聴者の嗜
> 好の変化など、さまざまな要素により影響を受けています。また、それぞれの
> 番組が視聴者に提供する価値が視聴率に直接影響を与えていると考えられます。
>
> 　たとえば、紅白歌合戦は年末の風物詩としての位置づけ、大河ドラマは日本の
> 歴史や文化を深く掘り下げた内容などが視聴者からの支持を受けています。こ
> のように、視聴率の分析からは、社会の大きな流れだけでなく、個々の番組が
> 視聴者にどのような価値を提供しているかを理解することも重要です。

　ChatGPT が出力したデータを見て驚かれましたか。

　ChatGPT には視聴率データしか渡していないのに、インターネットやストリームのようなメディアの変容や、パンデミックのような社会情勢、人気タレントの名前などが使われて、かなり適切に視聴率の変化が説明されています。

　大規模言語モデルとして、一般常識を学習しているから、データの分析結果の説明にそれを使ってこのような説得力のある内容を書くことができたのです。

可視化を
手伝ってもらう

世界のデータを可視化しよう

1960年から2022年の
GDPトップ10カ国の推移をアニメーションにして

データサイエンティストのためのサイトKaggle（https://www.kaggle.com/datasets/annafabris/world-gdp-by-country-1960-2022）に、世界約200カ国のGDPのデータを1960年から2022年まで毎年記録したExcelファイルがあります。

これをもとに、この62年間のトップ10カ国の推移を示すアニメーション動画を作成する方法をご紹介します。

まず、このファイルをダウンロードします。開いて中身を確認すると、アルファベット順に、最初のほうにはアフガニスタンの1960年から2022年までのデータが入っています。もちろん、日本のデータも入っています。

ChatGPTに、

プロンプト

> **世界のGDPデータと日本語フォントです**

といって、このファイルと日本語フォント NotoSansJP-Regular.ttf をアップロードします。

ここで、

プロンプト

> **最初の年度から最後の年度までのトップ10カ国のランキングを作成して、バーチャートレースのアニメーションにしてください。ダウンロードしたいです**

とリクエストします。バーチャートレース（Bar Chart Race）は、時間の経過に伴うデータの変化をバーチャートの形式でアニメーション表示するビジュ

アル化手法です。この形式は、特にソーシャルメディアで人気があり、国の人口、企業の収益、スポーツの成績など、さまざまなデータセットを楽しく理解できる方法として使用されています。

User 最初の年度から最後の年度までのトップ10カ国のランキングを作成して、バーチャートレースのアニメーションにしてください、ダウンロードしたいです。

GPT 了解しました。まず、データから最初の年度と最後の年度を特定し、その期間でのGDPによるトップ10の国のランキングを作成します。その後、バーチャートレースのアニメーションを生成いたします。

それでは、最初のステップとして、データの最初の年度と最後の年度を確認します。

作業完了　コードの詳細を表示 ∨

データによると、最初の年度は1960年で、最後の年度は2022年です。

次に、この期間（1960年から2022年）での各年度のGDPに基づいて、トップ10の国のランキングを作成します。このランキングを基にバーチャートレースのアニメーションを生成します。

それでは、トップ10の国のランキングデータを作成します。

作業完了　コードの詳細を表示 ∨ ⟳ 再生成

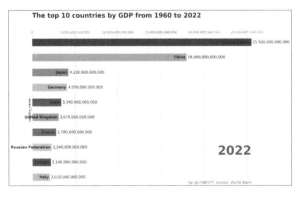

最初にできてきたもの

　最初にできてきたのが、図のアニメーション動画でした。1位アメリカ、2位中国に続いて、日本は3位となっています。この動画では、国の色が統

一されておらず、フォントも読みにくかったので、

> **国の色を固定してください。アメリカは青、中国は赤、日本はオレンジ、他国は適当にその国のイメージに合う色で。フォントを読みやすく**

とリクエストしました。

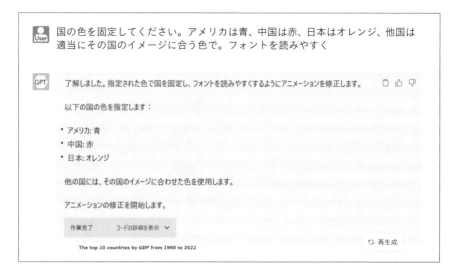

また、英語だったので、次のようにお願いしました。

> **日本語にして、文字を読みやすく、単位をわかりやすく。かっこよく**

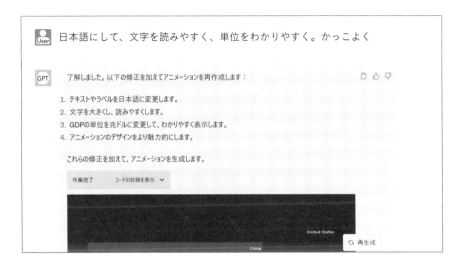

次に、

このデータを解説してください

とリクエストしてみました。すると、次のように答えてくれて、ポイント
なども挙げてくれました。

👤 User　このデータを解説してください

🤖 GPT　もちろん、データを基にした解説を行います

1. アメリカの経済規模
アメリカは、データセットの多くの年において、世界最大の経済大国として君
臨しています。1960年代から 現在までの間、アメリカは GDP でトップを維持
しています。特に 1980年代から 2000年代初めにかけて、IT 産業の急成長や金
融市場の発展などが背景にあり、その経済規模をさらに拡大しています。
2. 中国の急成長
2000年代初頭から、中国の経済成長が顕著になりました。経済改革や世界貿易
機関 (WTO) への加入。海外からの投資拡大などが背景にあり、2000年代後半に
は GDP で 2 位に躍進しました。この急速な成長は、世界経済のバランスを変え
る要因となりました。
3. 日本の波乱含みの経済成長
日本は、1960年代から 1970年代にかけて急速な経済成長を遂げ、GDP で 2 位
の経済大国となりました。しかし、1990年代に入ると、バブル経済の崩壊や長
引く不況の影響で成長が鈍化しました。

そして、

この解説をアニメーションと統合してください

とリクエストしました。

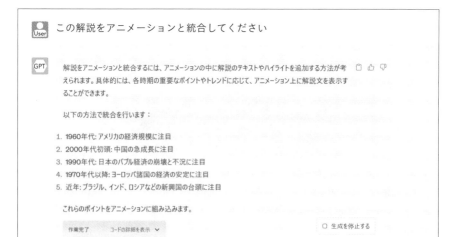

生成されたのが、右の図です。

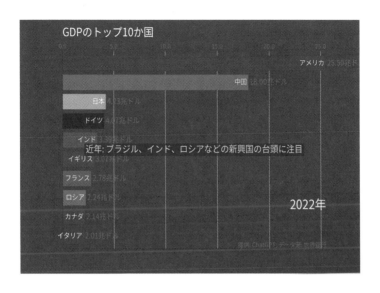

静止画だとわかりにくいので、下にあるQRコードを読み込んで動画を見てみてください。

実際の動画が見られます

身近なデータを可視化しよう

山手線の駅の数値を可視化して

　イベントの案内状や施設のアクセスマップを作るときに、手描きしたり PowerPoint を使ったりすることもできますが、手間がかかりますし、位置関係を正確に表現するのは至難の業です。

　そんなシーンでも ChatGPT を使い、精度の高い地図を簡単に作ることが可能です。 ここでは、山手線の各駅の緯度経度、乗降客数をアニメーション形式で可視化した事例を紹介します。まず、山手線のすべての駅の緯度経度データを入手します。Web上で「山手線の駅の緯度経度データ」と検索すれば、簡単に探し出すことができます。私が使ったのは、Google で山手線の緯度経度で検索すると見つかるオープンデータでした。しかし、多くのデータには不要な見出しがあったり、最新の高輪ゲートウェイ駅が含まれていなかったので、自分で緯度経度を調べて追加し、きれいなデータを作りました（https://booklogia.com/wp-content/uploads/2024/02/Yamate.csv）。そのファイルと一緒に、日本語を正しく表示してもらうために日本語フォントの NotoSansJP-Regular.ttf を ChatGPT にアップロードしました。

そして、

> これは山手線の駅の緯度経度データです。タブ区切りのCSV形式です。グラフ化するときにはこの日本語フォントを使用してください

とリクエストすると、以下のように山手線の各駅の位置関係が表示されました。

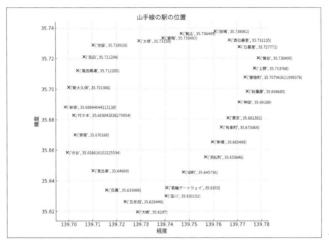

緯度経度のデータは不要なので、

> 品川駅のように駅名だけ表示してください

と指示し、

> 駅順で線でつないでください。最後の駅と最初の駅も線でつないでください

とリクエストしました。

次に、各駅の1日あたりの乗降客数を反映させます。JRのWebサイトに公開されている乗降客数データをアップロードすると、マーカーが乗降客数

に応じた大きさで表示されました。

　新宿駅や池袋駅、東京駅などは乗降客数が多い一方、大塚駅、巣鴨駅、駒込駅などは少ないことが一目でわかります。

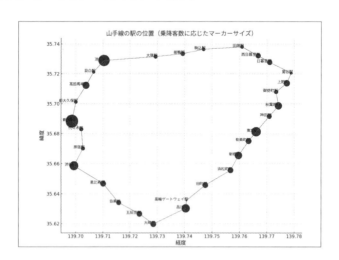

最後に、

プロンプト

　　これを一駅ずつ順に表示されるアニメーションにして、MP4動画形式で保存してください。サイズは縮小してかまいません

とリクエストすれば完成です。

　多くの人が「山手線＝環状」と思い込んでいますが、緯度経度を用いてマッピングしてみると、正確には「ハート形に近い形状」であることがわかります。

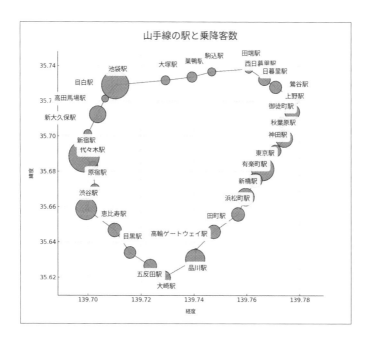

こうしたアニメーション説明資料は、Excelで作るにせよ、Pythonでプログラミングするにせよ、手間と時間がかかります。生成AIならではの資料作りです。

なお、このくらい多数のステップを踏んだ複雑な作業をしようとすると、実際には途中でうまくいかないことも多くあります。根気強くフォントの位置やデザインの修正を依頼しました。私はこのグラフを作るのに30分以上かかっています。

実際の動画が見られます

※本書の初版執筆直後にChatGPTのアップデートがあり、Pythonの実行環境と地理データを扱うライブラリのバージョン変更が行われました。この変更により、偶然にも相性が悪い組み合わせが生じたため、本書第3版（2024年7月現在）では、地図を扱う掲載プロンプトの一部が動作しなくなっています。今後のアップデートにより、再び動作するようになると予想されます。

千代田区の人口分布をまとめる

ChatGPTは、統計データの分析をしたり、その結果をまとめたりするのも得意です。

ここでは、千代田区の人口を対象とし、分布を可視化したりWord形式のレポートにまとめたりする手順を紹介します。

まずはデータ収集です。今回使うデータは、国の統計を一覧できるWebサイト「政府統計の総合窓口 e-Stat」（https://www.e-stat.go.jp/）に公開されている「千代田区のShapefileデータ」です。ブラウザで「東京都千代田区のシ Shapefileデータ ダウンロード」と検索すると、このデータにたどり着くことができます。

データは、複数のデータを圧縮したZipファイルとなっています。

ファイルをダウンロードしたら、解凍せず、そのままChatGPTにアップロードしてください。

東京都千代田区のShapefileデータです。グラフ作成に使用する日本語フォントです。人口を階級化して濃淡で地図上に可視化してください

とリクエストしました、

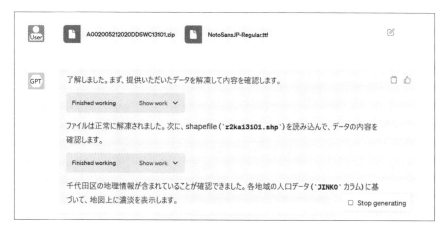

すると、人口の多いところが濃く表示された千代田区の地図が出てきます。

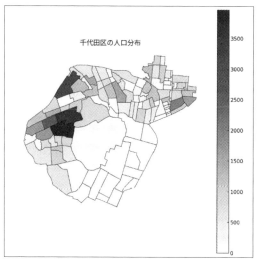

次に、

プロンプト

地図に地名のラベルを表示してください

とリクエストすると、地名がさっと表示されます。以上で、千代田区の人口分布をマップで可視化することができました。

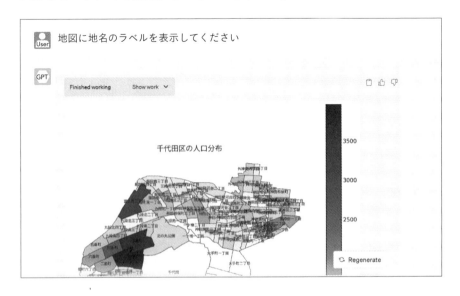

次は、分析レポートの作成です。

プロンプト

人口の多いトップ10の地区について理由を考察して、解説レポートを作成してください

とリクエストします。

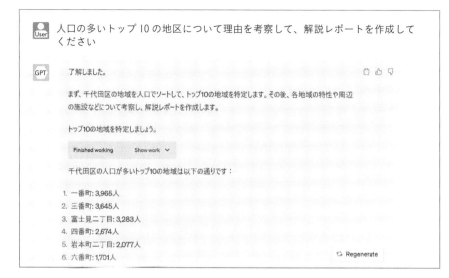

そうすると「了解しました。まず、千代田区の地域を人口でソートし、トップ10の地域を特定します。その後、各地域の特性や周辺の施設などについて考察し、解説レポートを作成します」という返事をして、トップ10の地域（一番町、三番町、富士見二丁目、四番町、岩本町二丁目……）をリストアップし、それぞれの地域の特性について考察した結果をレポートしてくれます。

> **プロンプト**
>
> **上記の人口分布の地図と分析に、まえがきと結論パートを追加して、Wordの立派なレポートを作成してください**

とリクエストすると分析レポートを作成してくれます。

右の図のような Word のレポートが作成されました。

　境界と人口データは汎用性があります。緯度経度データを含んだ情報は、同じ地図に置くことができます。オープンデータとして配布されているさまざまな施設の分布を追加して分析させると、新店舗の出店戦略などを考えるのに使えるでしょう。公共施設や AED の配置を追加すれば、自治体の政策の評価と改善に使えます。

　ChatGPT のデータ分析機能では、Word や PowerPoint、PDF などのファイルを直接生成することができます。フォントを変更したい場合には、Web でダウンロードできるオープンフォントか、自分の PC にインストールされているフォントをアップロードすれば可能です。

　日本語の場合、少しレイアウトが思うようにいかないこともありますが、**草稿を作るには十分な機能があります。**

分析と考察
千代田区の人口が多いトップ 10 の地域は以下の通りです：
1. 一番町: 3,965 人
2. 三番町: 3,645 人
3. 富士見二丁目: 3,283 人
4. 四番町: 2,674 人
5. 岩本町二丁目: 2,077 人
6. 六番町: 1,701 人
7. 二番町: 1,701 人
8. 東神田一丁目: 1,652 人
9. 神田神保町一丁目: 1,547 人
10. 飯田橋二丁目: 1,486 人

これらの地域の特性や、何が人口の多さに寄与しているのかを考察しました

一番町 & 三番町 & 四番町 & 六番町 & 二番町:

これらの地域は、千代田区の中心部に位置しており、多くのオフィスビルや商業施設が集まっています。そのため、ビジネスや商業の中心地としての役割が大きく、住民だけでなく、通勤・通学者も多いことが考えられます。

富士見二丁目:

富士見地域は、住宅地としての性格も持ち合わせています。また、都心部に近く、交通の便も良いため、住みやすい場所として人気があると考えられます。

岩本町二丁目:

この地域は、多くの飲食店やショップが立ち並んでいます。また、観光地としての性格も持ち、多くの観光客が訪れることが考えられます。

東神田一丁目:

東神田は、アキバや神田エリアに隣接しており、若者や観光客が多く集まるエリアです。そのため、人口の多さはその影響を受けている可能性があります。

神田神保町一丁目:

神保町は、多くの書店が集まる地域として知られています。また、多くの学生や教育関連の施設も点在しており、その影響を受けている可能性が考えられます。

飯田橋二丁目:

飯田橋は、住宅地としての性格も持ち、また、多くのオフィスビルや商業施設も存在します。そのため、住民と働く人々が多いと考えられます。

結論
千代田区は多くのビジネスエリアや観光地、住宅地が混在しており、その結果として人口の分布には大きなばらつきが見られました。今回の分析を通じて、特定の地域に人口が多い理由や背景を考察することができました。今後は、更なる詳細なデータや調査をもとに、より深い分析を行うことが期待されます。

千代田区の人口分布の解析

まえがき
千代田区は東京都の中心部に位置する区であり、日本の政治・経済・文化の中心としての役割を果たしています。このレポートでは、千代田区の人口分布を地図上で可視化し、人口が多い地域についての特性や背景を考察します。

人口分布の地図

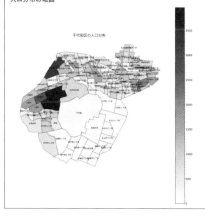

千代田区の人口分布

※本書の初版執筆直後に ChatGPT のアップデートがあり、Python の実行環境と地理データを扱うライブラリのバージョン変更が行われました。この変更により、偶然にも相性が悪い組み合わせが生じたため、本書第 3 版（2024 年 7 月現在）では、地図を扱う掲載プロンプトの一部が動作しなくなっています。今後のアップデートにより、再び動作するようになると予想されます。

CHAPTER
6

可視化を手伝ってもらう

プログラミング
開発

生成AIでプログラミング

簡単なプログラミングを手伝ってもらう

生成AIはプログラマーの強い味方です。

ChatGPT＆Copilotは、Python、JavaScript、Java、C言語、C++、PHP、Rubyなどの主要なプログラミング言語や、HTMLのようなマークアップ言語、WordやExcelのマクロなど幅広い言語に対応しています。

本格的にコードを生成する専用のサービスもありますが、ChatGPTやCopilotでも、ちょっとしたプログラミングは可能です。

生成AI支援のプログラミングには、

（1）コードを手作業で書いたうえで、続きを書いてもらう、あるいはバグを修正してもらうという使い方

（2）小さなプログラムを丸ごと作ってもらうスタイルが

あります。

ここでは、（2）のプログラマではないユーザーが、仕事で使う小さなプログラムを丸ごと作ってもらう例を紹介します。

社員の誕生日をお祝いする文化のある会社で、総務担当者が社員の誕生日を確認するためのアプリケーションを作ることにしましょう。

100人の社員がいるという設定で、開発用のダミーデータを生成します。

ダミーデータで、ある会社の100人の社員の名前、役職、生年月日のデータを作成してください。CSVでダウンロード

👤 ダミーデータで、ある会社の 100 人の社員の名前、役職、生年月日のデータを
User 作成してください。CSV でダウンロード

GPT 会社の 100 人の社員の名前、役職、生年月日のダミーデータを作成しました。
以下のリンクから CSV ファイルをダウンロードできます

という返事があってCSVデータをダウンロードできます。内容を確認するとこのようになっていました。

ここで次のプロンプトを入力します。

このデータを使って、社員の誕生日のお祝いをするために、総務担当者が誕生日の確認をするためのアプリケーションを、HTMLとJavaScriptを使って作成してください

1月から12月までプルダウンメニューで各月の誕生日の社員のリストを表示してください

HTMLとJavaScriptは1つに統合してダウンロードしたいです

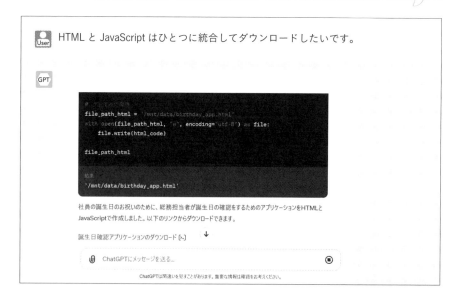

Webページを記述するHTMLと動作を記述するJavaScriptは1つのファイルにまとめることができます。

そのほうが、取り扱いが便利なので「1つに統合して」という指示を追加しています。これでコードが書かれて、プログラムができました。

このHTMLファイルと先ほどのCSVのダミーデータを同じフォルダにおいて、Webブラウザで表示すると右の図のようになりました。

社員の誕生日リスト

月を選択: --選択してください-- ⌄

--選択してください--
1月
2月
3月
4月
5月
6月
7月
8月
9月
10月
11月
12月

メニューを選択すると、今度は右の図のようにこうなります。

月別に誰が誕生日化をシンプルに確認ができます。

さらに作り込んでみます。

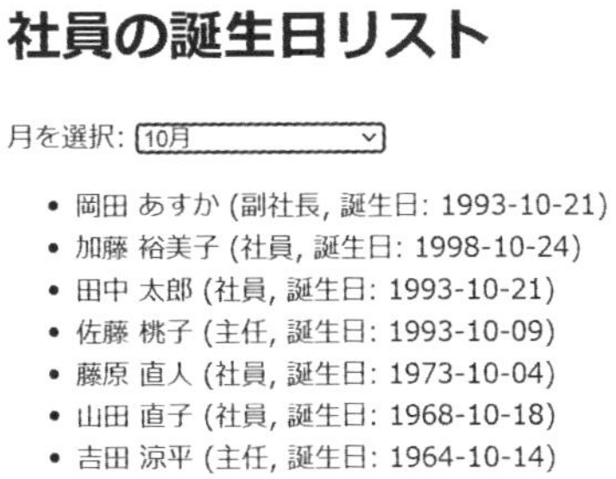

社員の誕生日リスト

月を選択: [10月 ▽]

- 岡田 あすか (副社長, 誕生日: 1993-10-21)
- 加藤 裕美子 (社員, 誕生日: 1998-10-24)
- 田中 太郎 (社員, 誕生日: 1993-10-21)
- 佐藤 桃子 (主任, 誕生日: 1993-10-09)
- 藤原 直人 (社員, 誕生日: 1973-10-04)
- 山田 直子 (社員, 誕生日: 1968-10-18)
- 吉田 涼平 (主任, 誕生日: 1964-10-14)

プロンプト

「もうすぐ誕生日の社員」というコーナーを作って、誕生日が近い5人の社員の情報を「あと〇日」という表示をするようにする

とリクエストしたところ、こんなふうに表示されました。

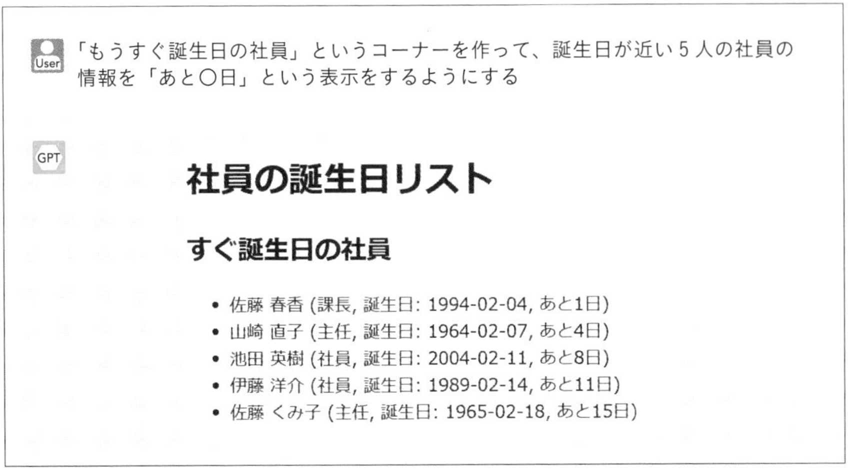

> **User** 「もうすぐ誕生日の社員」というコーナーを作って、誕生日が近い5人の社員の情報を「あと〇日」という表示をするようにする
>
> **GPT**
>
> # 社員の誕生日リスト
>
> ## すぐ誕生日の社員
>
> - 佐藤 春香 (課長, 誕生日: 1994-02-04, あと1日)
> - 山崎 直子 (主任, 誕生日: 1964-02-07, あと4日)
> - 池田 英樹 (社員, 誕生日: 2004-02-11, あと8日)
> - 伊藤 洋介 (社員, 誕生日: 1989-02-14, あと11日)
> - 佐藤 くみ子 (主任, 誕生日: 1965-02-18, あと15日)

　もうすぐ誕生日の社員は表示されましたが、最初に作った月別の確認メニューが消えてしまいました。ちなみに、「もうすぐ」とリクエストしたのに「すぐ」と表示されています。

　2つを同時に表示させたいですよね。生成AI支援のプログラム開発では、1回のプロンプトで思い通りのコードができることは稀です。

　対話しながらコードを修正していきます。

プルダウンメニューの確認機能と両方を表示して

と入力しました。

　すると、「プルダウンメニューで各月の誕生日の社員のリストを表示する機能と「すぐ誕生日の社員」の両方を含むアプリケーションをHTMLとJavaScriptで作成しました。以下のリンクからダウンロードできます」という回答がありました。

　これでできたアプリケーションの表示がこれです。

User　プルダウンメニューの確認機能と両方を表示して

GPT

社員の誕生日リスト

月を選択: [1月 ▽]

- 山下 幹 (課長, 誕生日: 1994-01-26)
- 中村 直人 (社員, 誕生日: 2006-01-10)
- 伊藤 桃子 (主任, 誕生日: 1979-01-27)
- 長谷川 学 (社員, 誕生日: 1990-01-03)
- 近藤 翔太 (主任, 誕生日: 1985-01-18)

すぐ誕生日の社員

- 佐藤 春香 (課長, 誕生日: 1994-02-04, あと1日)
- 山崎 直子 (主任, 誕生日: 1964-02-07, あと4日)
- 池田 英樹 (社員, 誕生日: 2004-02-11, あと8日)
- 伊藤 洋介 (社員, 誕生日: 1989-02-14, あと11日)
- 佐藤 くみ子 (主任, 誕生日: 1965-02-18, あと15日)

　2つの機能が同時に表示できました。

　これでひとまず基本機能は完成です。ここからは外観をブラッシュアップしていきましょう。生成AIは、改善案を相談しながら開発を進めていくことができます。ここではこんなプロンプトを入れました。

**このアプリケーションをもっと見やすく美しくするにはどうした
らよいでしょうか。7つの手法を提案してください**

 このアプリケーションをもっと見やすく美しくするにはどうしたらよいでしょ
うか。7つの手法を提案してください。

GPT　アプリケーションの見をするためには、次のような手法が有効です

1. **レスポンシブデザインの採用**：デバイスに応じてレイアウトが変更されるよ
   うに、メディアクエリを使用してレスポンシブデザインを採用します。これ
   により、スマートフォンやタブレットなど、異なるスクリーンサイズでの使
   用に対応できます。
2. **CSSフレームワークの利用**：BootstrapやMaterializeなどのCSSフレームワー
   クを使用して、デザインを整えます。これらのフレームワークは、ボタン、
   フォーム、ナビゲーションバーなど、さまざまな要素のスタイルを簡単にカ
   スタマイズできます。
3. **カラースキームの選定**：企業のブランドカラーやウェブデザインのトレンド
   に合わせたカラースキームを選び……
   〜〜〜〜〜〜〜〜〜〜〜〜〜〜〜〜途中；省略〜〜〜〜〜〜〜〜〜〜〜〜〜

　レスポンシブデザインの採用、CSSフレームワークの利用、カラースキー
ムの選定、フォントの選択、アニメーションの追加、アイコンの使用、マー
ジンとパディングの調整という7つの手法が提案されました。

　番号を指定して、それをやってほしいと指示すれば、コードが追加修正さ
れますが、ここではもっと柔軟に、おまかせのつもりで、こんなプロンプト
を入れてみました。

**こうした手法を取り入れて、見やすくて美しいデザインにしてく
ださい**

すると、7つの提案のうち、いくつかが実装されました。

これでぐっと見やすく美しい表示になりました。アニメーション効果も加わっています。PCで見ても、スマートフォンで見てもきれいに見えます。モノクロのデザインですが、

オレンジを基調として楽しい配色にしてください

などと追加で指示すると、デザインを変更できます。

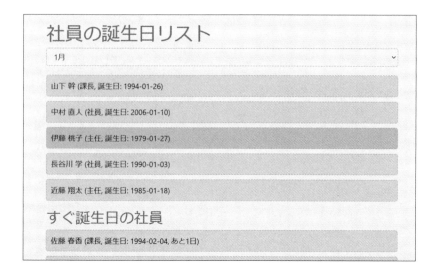

これで社内の総務担当者が個人的に使うアプリケーションとしては必要十分でしょう。ダミーデータを本番データに入れ替えれば完成です。

さまざまな
GPTs

種類豊富なGPTsを
使いこなす

GPTsの探し方

ChatGPT Plusには数万種類のGPTsが用意されています。

GPTsはユーザーならば誰でも作って公開することができるので、品質にばらつきが大きいです。動作が不安定だったり、精度が悪いものが大量に登録されています。この中から優良のGPTsを選ぶ必要があります。

まずニュースサイトやSNS、YouTubeなどで評価の高いGPTsを探すとよいでしょう。「おすすめGPTs」で検索するといろいろ見つかります。ChatGPTの中で探すには、まずGPTsのディレクトリのトップ画面で紹介されているGPTsを見てみましょう。特に「特集」や「トレンド」紹介されているものが良質です。

しかし、トップで紹介されているGPTsは、万人向けの汎用的なものが多くあります。専門的で特殊なGPTを探すには、検索フォームにキーワードを入力してみましょう。このフォームでは人気度も調べることができます。ここではWhimsical DiagramsというGPTsを検索してみました。GPTsの簡単な説明とユーザー数が表示されます。ユーザー数が多ければ、それだけ品質が高いサービスである可能性が高いです。

外部サービスと連携したGPTsは便利なものが多い

GPTsは大きく2種類に分けられます。1つはChatGPTのプロンプトの工夫のみで作られたGPTsです。GPT Builderのinstructionsの項目に指示を書き込んで作られたタイプです。このタイプは当然ですが、ChatGPTでできることしかできません。

本当に際立って便利な働きをするのは、もう1つの外部の知識やサービスと連携したGPT s です。

外部の知識やサービスと連携したGPT s は2種類あります。

まずは、**BuilderのKnowldgeの設定にユーザーが独自の知識をアップロードする機能を使うもの。**外部のユニークで便利なデータが登録されてい

ると、ChatGPTの普通のプロンプトではできないことができます。たとえばカスタムAIを作る章で紹介しますが、私は自分の英語学習の知識をまとめたワードを登録し、それを参照してユーザーの質問に答えさせるGPTsを作りました。こうすると普通のChatGPTにはない回答が出るようになります。

　そして、**2つ目はBuilderのActionsという設定で、外部のサービスと連携させる機能を使うものです。この機能を通じて、ChatGPT単体ではできないサービスを実現できます。**たとえば生成した文章を外部のサービスで映像化したり、美しいパワーポイント化することができます。学術論文や映画情報のデータベースと連携して、GPTsではアクセスできない外部の情報を引っ張ってくることができます。

　2つの見分けがつきにくいのですが、後者のタイプは、初めてプロンプトを入力して動作させた際に、外部サービスと通信しようとしていますので「許可してください」という承諾を求める表示が出ます。

Whimsical Diagrams

Whimsical DiagramsはChatGPTで生成した文章を使ってマインドマップやフローチャートを簡単に作成できるツールです。専用画面で作った図を修正したり、他のユーザーと共有することもできます。

マインドマップの作成

ブレインストーミングやプランニングの際に、たとえば、「製品のマーケティング戦略をマインドマップで作成して」と指示すると、関係するアイデアのツリーマップが表示されます。箇条書きよりも、構造化されたカラフルな図は啓発的です。**こうしたマップをそのままプレゼンテーション資料に持ち込むこともできますね。**

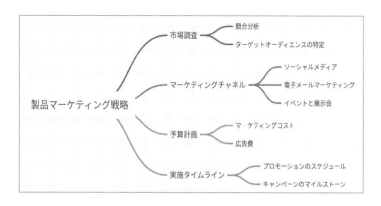

カスタマイズ

アウトプットの下に「Whimsicalでこのフローチャートを表示または編集する」と表示されます。そこをクリックすると、Whimsicalという外部Webサイトでフローチャートを閲覧・編集できます。

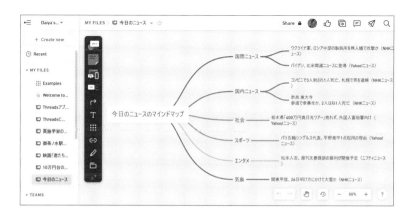

Diagrams：Show Me

Diagrams：Show Me は、図解用の GTPsです。

Whimsical Diagrams と共通する部分も
ありますが、異なる機能、デザインテイス
ト（よりシンプル）を持っているので、私は

Diagrams: Show Me

By helpful.dev ⊕

Create Diagrams, Architecture Visualisations, Flow-Charts, Mind Map,
Schemes and more. Great for coding, presentations and code
documentation. Export and Edit your diagram for free!

両方を図の作成に使い分けています。描きたい図のデータを全部与えて作ら
せてもよいのですが、ChatGPT に考えさせて図解させるという使い方がおす
すめです。このサービスも生成した図を、専用サイトで後から編集する機能
があります。

図解させる

たとえば、「日本の三権分立を図解してください」とか「コンピュータの
内部を図解してください」といったように、社会構造や経済理論、科学的原
理、技術的な概念などを抽象的な概念や理論を図式化してもらうことができ
ます。

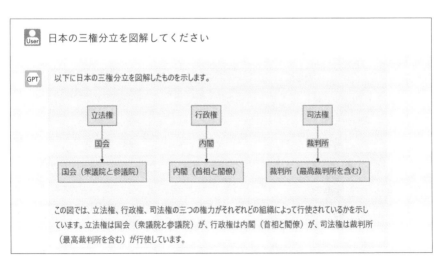

プロセスの図解

　たとえば次のスクリーンショットは「日本の三権分立を図解してください」と指示したときのものです。図だけでなく、その説明も一緒に生成できます。「本づくりの流れを図解して」というと、著者の執筆から書店の販売までの流れが整理されました。

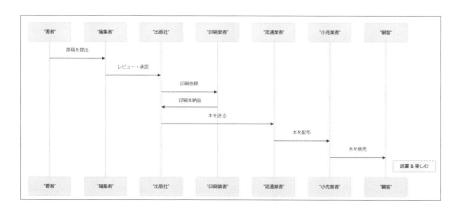

年表の作成

　たとえば「主要な第二次世界大戦の出来事をタイムラインで示してください」といったように、歴史や物語のタイムラインを作成してもらうことができます。

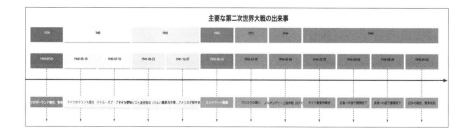

Consensus

Consensus は世界の研究論文を検索するサービスです。

2億本の論文を検索できる同名のサービスと連携しています。論文は専門知識がないと何をキーワードに調べたらいいのか困

りますが、GPTsはほしい情報を言えばそれを取ってきます。たとえばニュースを読んでいて気になったキーワード、「ニューロモーフィックコンピューティングという脳をシミュレーションするコンピューティングの最新研究論文を教えて」と依頼してみました。すると、5本の関係論文が示されました。簡単な説明もついています。論文の本文へのリンクもあります。論文を取得できたら、それを「やさしく中学生にもわかるように」説明してもらえば、専門外の学術情報も活用できます。

 Tell me about your latest research paper on neuromorphic computing.

 GPT

Used Science ⌄

Here are the latest research papers on neuromorphic computing:

1. **C3S Micro-architectural Enhancement: Spike Encoder Block and Relaxing Gamma Clock (Asynchronous)** by Alok Anand, Ivan Khokhlov, and Abhishek Anand, published in 2023. The paper discusses the evolution of neuromorphic computing and explores the modification of existing architectures for improved performance. The authors propose an encoder that can convert between common digital formats and neuronal spikes, and a reduction in wasted processing time caused by lengthy Gamma cycle bursts.

2. **Tunneling Magnetoresistance Materials and Devices for Neuromorphic Computing** by Yuxuan Yao, Houyi Cheng, Boyu Zhang, Jialiang Yin, Daoqian Zhu, Wenlong Cai, Sai Li, and Weisheng Zhao, published in 2023. This paper discusses the energy consumption of artificial intelligence and the pote ↻ Regenerate response resistance (TMR)-based

ニューロモーフィックコンピューティングの最新研究論文を検索した

DesignerGPT

DesignerGPTはWebサイトをデザインしてくれるGPTsです。

DesignerGPT

By Pietro Schirano

Creates and hosts beautiful websites

「○○のサイトを作って」「デザインはアップルのようなスタイルで」「メニューバーを搭載して」などと指示すればWebページのHTMLを書いてくれます。

このサービスの面白いところは、最後にURLが表示されて作成したWebページをホスティング（サーバーのスペースを操作）してくれることです。

次のページにあるのは、このGPTsに

検索技術のITスタートアップのWebサイトを作ってください

で、できてきたサイトの全体キャプチャです。

画像は素材集から適当に持ってくるので、ばっちり適当なものが出るとき
もありますが、そうでないこともあります。

　このように作り込まれたサイトができるわけではないのですが、誕生会の
ような小さなイベントであるとか、町内会のお祭り用のサイトを作ることに
は使えるでしょう。

　注文を追加するとデザインを変えてくれるのが楽しいです。何しろ1分で
できますから、ぜひやってみてください。

VoxScript

VoxScript は、YouTube 動画要約、Web ページの要約、株価検索など多機能な GPTs ですが、特に YouTube 動画のデータを要約機能は便利です。長時間の動画の内容を簡潔に教えてくれます。

動画の要約

プロンプト

> **この動画を要約して（URLを貼る）**

使い方は簡単で、こんなふうに URL を貼り付けるだけです。

　このGPTは音声認識をしているわけではなく、YouTubeの字幕データにアクセスしているだけですが、まるで全部を見たかのように教えてくれます。（字幕データがない動画には使えません）

ここでは、私が講演した「GLOCOM六本木会議オンライン　生成AIブームとその次に来るもの〜ChatGPTの生産性革命と次世代AI〜」の動画の要約をしてもらいました。

> **この映像を日本語に要約してください。そして、キーワードを抽出してマインドマップを作成してください**

と入力すると、以下のような結果が得られます。

> GPT　この動画は、橋本大也さんと前川徹さんによる対談形式の内容で、主にAI（人工知能）とその進化について議論しています。以下にその要約を提供します。
>
> 橋本さんは、AIの進化について、特にディープラーニングとニューラルネットワークの進歩について語っています。彼は、これらの技術が大量のデータを学習し、パターンを分類する能力を持つことを強調しています。彼はこれを「アナログコンピューター」と表現しています。また、彼は人間の脳がアナログ的な性質を持つ一方で、ニューラルネットワークはデジタル技術でこれを模倣していると説明しています。これにより、現代のAIは従来のアルゴリズムベースのコンピュータとは大きく異なると述べています。さらに、彼はAIの進化について、特に生成型AI（GPT-3など）について語っています。彼は、開発者自身がAIの結果に驚くことがあると述べ、AIが人間のように思考しているかのように振る舞うことについて言及しています。また、彼はAIが人間と同じような身体性を持つ可能性について議論し、その可能性が現実になると少し恐ろしいと感じています。
>
> 対談の最後には、AIのエネルギー効率の問題、量子コンピューターの可能性、AIの倫理的な問題などについても触れています。

Vox Script が便利なのは、ChatGPT の翻訳能力を使って自分が知らない外国語の映像を要約できることです。

　先日、私の同僚のデジタルハリウッド大学の吉村教授が得意な韓国語でスピーチをした映像がYouTubeに上がっていました。私はこの内容がまったく理解できませんでした。

そこで

> **この動画を要約して**
> https://www.youtube.com/watch?v=gBNQPSTNVHs

と入力しました。

 この動画を要約して　https://www.youtube.com/watch?v=gBNQPSTNVHs

Voxscript

✅ voxscript.awt.icuと通信しました ⌄

動画「DHU CEO ヨシムラ タケシ / AI 시대를 바라보는 새로운 시각」は、デジタルハリウッド大学(DHU)のCEOである吉村健のインタビューを特集しています。吉村氏は、AI時代における視点と、コンテンツ産業の未来戦略について語っています。主に、技術と教育の融合、創造的な思考の重要性、そしてAIの将来に対する楽観的な見解を共有しています。彼は、AIが提供する可能性を活用し、従来の思考に捉われず、自由にアイデアを展開することの重要性を強調しています。また、将来にわたって持続可能な社会を構築するためには、創造性と革新性を育む教育が不可欠であるとの考えを示しています。

テキストの要約が得られて便利ですが、さらにここではGPTsのメンション機能を呼び出しました。

動画の内容をマインドマップとして描画することができます。

> **(@Whimsical Diagrams)　この動画の内容をマインドマップにして**

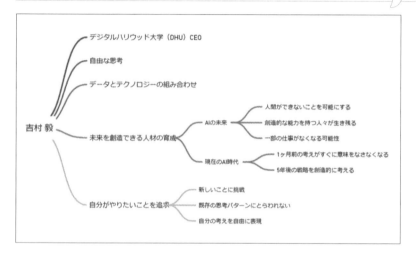

こんなふうにメンション機能で、複数のGPTsを連携させる合体技を開発できるため便利です。

HeyGen

HeyGen は原稿をナレーターが読み上げる映像を制作する人気のサービスです。 GPTs としてその基本的な機能を使うことができます。

HeyGen

By community builder 👤

読み上げさせたいテキストと「この原稿を映像化して」というプロンプトを与えると映像が制作されます。日本語、英語、フランス語など多言語に対応しています。

企業の Web 上での多言語サポートに使えそうですし、私は大学の授業で、レポートに提出についての説明を日本語と英語で作りました。

ここでは ChatGPT に Web を検索させて、その日のニュースを読み上げる映像を作ります。

HeyGen のセッションを開始して、

プロンプト

今日の日本のトップニュース３つを調べて映像にしてください

と入力しました。すぐに Web から３つのニュースが取得されて映像生成が始まります。

👤 今日の日本のトップニュース３つを調べて映像にしてください
User

> ◎ **HeyGen**
> ✅ openal-plugin.heygen.comと通信しました ⌄
> 本日の日本のトップニュース3つを映像にまとめました。内容は以下の通りです：
>
> 1. **札幌のコンビニでの刺傷事件**：札幌のコンビニで店員3人が刺され、1人が死亡。警察は容疑者を殺人未遂で現行犯逮捕しました [ʏ]。
> 2. **奈良公園での車の暴走事故**：奈良公園で車が暴走し、台湾からの旅行者1人が死亡、もう1人が重傷を負いました [ʏ]。
> 3. **関東と東北での大雪予報**：関東と東北の山沿いには大雪が予想されています [ʏ]。
>
> この映像は、こちらからご覧いただけます。映像の読み込みには少し時間がかかる場合がありますので、もし「Loading」画面が表示されたら、少々お待ちください。映像の処理完了まで1〜5分程度かかることがあります。
> 🗋 ↺ 👎   ↓

できた動画はこちらです。

女性のナレーターを使用

などナレーターのプロフィールを指定することもできます。

　HeyGenの有料サービスを使うと映像を編集したり、自分自身の画像を使ってナレーション映像を作ることもできます。

実際の動画が見られます

Wolfram

言語モデルである ChatGPT は単体では計算が苦手です。簡単な四則演算は正当しますが、すこし込み入った計算になると無茶苦茶な答えを言います。**そんなときには難しい科学計算もこなせる Wolfram を使**

Wolfram

By gpt.wolfram.com 🌐

Access computation, math, curated knowledge & real-time data from Wolfram|Alpha and Wolfram Language; from the makers of Mathematica.

えば間違うことがありません。Wolfram は科学や歴史の百科事典機能も持っており、統計的作文プログラムである ChatGPT の弱点を補います。

このGPTsの背後には Wolfram Alpha（ https://ja.wolframalpha.com/ ）という強力な知識検索と計算エンジンがあります。Wolfram は数学、物理学、化学、生物学、コンピュータサイエンス、経済学などさまざまな分野の知識を統合したサイトです。計算式を入れれば、高度な科学の計算ができます。

世界史の質問を入れれば年表つきで詳しく答えます。Wolfram Alpha でできることを、ChatGPT からできるようにしたのがこのGPTsです。

より高度な数学的・科学的計算とデータ分析

　たとえば、「円周率を100桁教えてください」「現在時刻の地球とハレー彗星の距離を教えてください」といったリクエストに正確に答えてくれます。

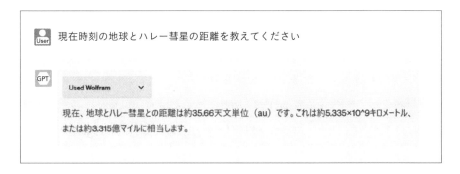

数学や科学、プログラミングの学習教材作成

　かなりの難問でも計算を解きます。この計算はChatGPTのPythonを使ったデータ分析機能でも可能ではありますが、Wolframは単なる計算だけでなく、さまざまな分野の科学計算の理論やアルゴリズムを搭載しているので、ChatGPTを超える強力な数学計算の味方になります。

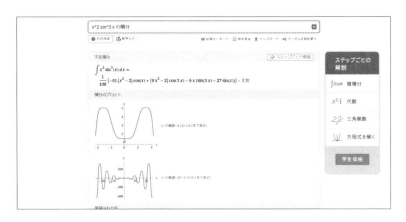

Wolfram Alphaで可能な計算がGPTsでも可能に

Video GPT by VEED

**Video GPT by VEED はテキストを
映像化する GPTs です。**すでに紹介した
HeyGen と似ていますが、できるデザイン
が違います。本書の執筆時点では VEED
は、直接日本語の映像を生成することがで

きません。しかし、VEED には生成した映像を翻訳する機能があるため、結
果的に日本語の映像を作ることが可能になっています。

ここではデータから映像を作ってみます。

データサイエンスの Kaggle というサイトで見つけた Global Country
Information Dataset 2023（https://www.kaggle.com/datasets/nelgiriyewithana/countries-of-
the-world-2023）というデータを使います。
このデータを GPTs に分析させ、結果をニュース映像にしてみます。

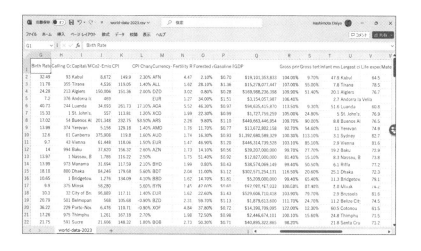

このデータには世界の国々のGDP、国土の大きさ、平均寿命、二酸化炭素排出量などの情報が記録されています。このCSVファイルをChatGPTにアップロードします。

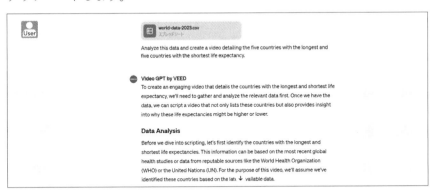

ここでは

このデータを分析して世界で平均寿命が最も長い5つの国と短い5つの国について詳しく解説する映像を作って

と依頼しています。ここではあえて英語で依頼しています。ChatGPTは英語で使うときのほうが、日本語で使うときよりも精度がかなり上がるからです。ChatGPTの翻訳機能で指示文を作ることもできますから、おすすめの方法です。

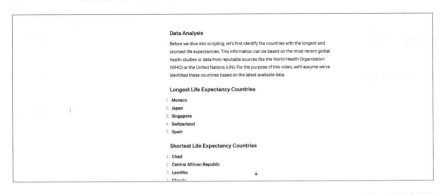

すると平均寿命のトップ5カ国とワースト5カ国についてまず、分析結果が回答されました。

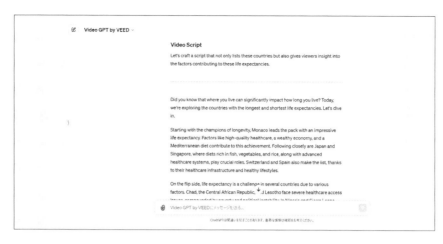

VEED が生成した解説文

そしてトップ5カ国、ワースト5カ国の解説映像のための原稿が表示されました。とてもよくできていると思います。

次に読み上げるナレーターの選択が表示されました。

私はAveryさんがいいと回答しました。

少し待っていると生成された映像へのリンクが表示されます。

これをクリックするとVEEDのサイトへ飛びます。できた映像の確認と編集が可能です。

生成された解説映像

この映像はこのQRコードで見ることができます。

実際の動画が見られます

そしてこの編集画面には翻訳機能がメニューにあります。Japaneseを選択すると翻訳が可能です。

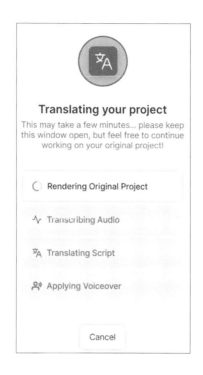

日本語に翻訳された映像はこのQRコードで見ることができます。

ElevenLabs Text To Speech

ElevenLabs Text To Speech はテキストを朗読して音声ファイルにするサービスです。 基本は英語ですが、日本語を含むメジャーな言語に対応しています。

> **プロンプト**
>
> ## この原稿を音声化して

　英語ができる人はChatGPTを何倍も活用できます。ChatGPTが事前学習した文章のうち、日本語は5％程度だと考えられています。英語は日本語の何倍も学習しているので、英語のやりとりのときのほうが精度が高く、答えの量も多いです。24時間どんな話題でも対話してくれるので、英語学習のパートナーとしても優秀です。

　5人の男女の音声プロファイルから選ぶように指示がきました。

　2のクラシックな男性ナレーターを選択すると、数十秒で音声ファイルへのリンクが表示されました。生成した音声はこのQRコードでお聞きいただけます。

実際の音声が聞けます

　便利なサービスですが、英語で1500文字という制約があります。日本語
ではその半分と考えられます。

Slide Creator

　**Slide Creatorはスライド資料を作成す
るGPTsです。**「○○の資料を作って」と
依頼します。執筆時点では残念ながら英語
のみ対応しています。逆に言うと、英語で
の資料作りをする時に役に立つでしょう。

　金沢の魅力を紹介する資料を作ってほし
いと英語で指示してみました。

プロンプト

Materials introducing Kanazawa's attractions

215

生成されたスライドがこれです。「日本の宝石」として金沢を紹介している1枚物のスライドができました。

さらに、歴史的魅力も追加してと指示すると、次の2枚目が生成されました。

こうして次々にスライドを増やしていくことができます。

カスタムAIの
GPT Builder

GPTsでカスタムAIを作る

カスタムChatGPT（GPTs）の作り方

　GPTsとは、目的別にGPTをカスタマイズ、パーソナライズして他のユーザーと共有する機能です。

　たとえば、特定の製品の知識をAIに覚えさせて専用サポートAIを作ったり、20代女性に関西弁をしゃべる性格付けをしたチャットAIを作って公開するということができます。

　ChatGPTのメニューの「GPTを探索する」を選択すると、他のユーザーが公開しているGPTsを見ることができます。

　人気トップ、執筆支援系、生産性ツール系、分析系、プログラミング系など無数のGPTsがカテゴリー分けされています。これらはクリックするだけで誰でも使えます。

　この画面右上の「GPTを作成する」をクリックすると、GPTsを開発するGPT Builderの画面になります（本稿の執筆時点ではGPT Builderは英語で表示されますが、日本語で進めて問題ありません）。

画面左側にCreateとConfigureという2つのタブがあります。

Createは対話形式でお手軽にカスタムAIを作っていくモード、Configureは細かく設定して作りこんでいくモードです。

まずCreateモードを使ってみます。どんなAIを作りたいかとChatGPTに聞かれていますので、

関西弁でジョークを言う「AI」「日本語で」

と入れてみました。すると、「了解しました！このGPTを『関西コメディAI』と名付けるのはどうでしょうか？この名前で大丈夫ですか？」という表示と共に次のページの図にある関西芸人のような、アイコン画像が設定されました。

右側の画面では開発中のAIを試すことができます。ユーザーに最初の入力を促す会話スターターというメニューがあります。

ここは英語で表示されてしまったので、

会話スターターも日本語にしてください

と依頼すると日本語になりました。

関西弁で面白い話をシェアして

というプロンプトを選ぶと「ええで、関西弁でちょっと笑い話を1つ教えたるわ」と言ってなにやら漫才のような小話を披露してくれました。

ここでBuilderに

プロンプト
> **もっとベタな関西弁で**

とか

プロンプト
> **ネタに電車を入れて**

というふうに追加で指示を入れることができます。

プロンプト
> **もしもユーザーが東京の話をしたら、大阪の優位性を強い口調で反論する**

のような条件付けもできます。

次にConfigureのタブをクリックしてください。

こちらは、Name（名前）、Description（説明）、Instructions（指示）、Conversation、Starters（会話スターター）、Knowldge（知識）、Capabilities（能力）、Actions（アクションActions）などの設定項目があります。

Createと対話をしたことですでにほとんどの項目は自動生成されて埋まっています。Configureモードでは詳細な設定を自分で書き換えることができます。

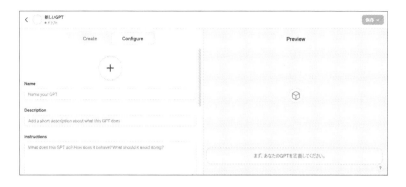

カスタマイズで大切なのは、AIの動作を指示するInstructionsとAIが基本知識として使う情報をファイルとしてアップロードするKnowldgeです。

ここでは、ユーザーが持っている独自の知識をアップロードして、その知識をもとに受け答えをするAIを作ってみます。

書評を学習し本をおすすめするAIを作る

私は副業で洋書の書評家の仕事をしています。

毎年、WIREDというサイトでその年に刊行された10冊の洋書のベストを紹介する「邦訳が待ちきれない！ 20○○年に世界で刊行された注目の本10選」という特集を執筆してきました。

この書評データをAIに覚えさせて、ユーザーの求めに応じて本をリコメンドするAIを作ってみましょう。

名前には「おすすめの洋書リコメンドAI」、説明には「橋本大也氏によるWIREDの邦訳が待ちきれない特集（2020,2021,2022年）で取り上げられた本をおすすめするAIです」、指示には「書評家の橋本大也氏が書いた書評のWordファイルを熟読して、ユーザーに最適な本を紹介してください。本はこれでもかと言わんばかりに情熱的に、読みたくなるように工夫して紹介してください。必ず橋本大也氏の書評記事から引用して紹介をしてください。本のデータをインターネットで検索して「最新の情報」を追加してくださ

い。Amazonの本のリンクを必ず表示してください」と入力しました。

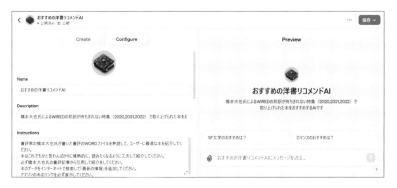

重要なのは知識をファイルとして与えることです。

過去の書評のWebページ（2020,2021,2022年）のテキストをWebからコピー＆ペーストして手元でWordファイルにしました。

合計で30冊分、24000字のテキストデータです。このファイルをKnowledge（知識）の項目にアップロードします。会話スターターには「SF文学のおすすめは？」などいくつかを入力しました。

さらに画像アイコンをクリックして、本の画像を生成させました。これで私の洋書の知識を使ったおすすめ司書のAIが完成しました。

右上の「保存」をクリックし、「公開」を選べば、他のユーザーにこのAIを使ってもらうことができます。

このAIは、「SF文学のおすすめは？」と聞けば、30冊の中からSFに該当する本を選んで、私の言葉を使って本をおすすめします。

「日本が舞台になる本は」「甘い恋愛はある？」などと、何を聞いても柔軟に受け答えをします。

英語学習をアドバイスするAIを作る

同じようにもう1つ作ってみます。

私は昨年、『英語は10000時間でモノになる』という本を上梓しました。この原稿を丸ごと知識として渡したいのですが、権利関係でそれはできなかったので、代わりにこの本の増刷記念イベントで話した1時間の講演の書きおこしデータ（17500字）のテキストファイルを知識としてアップロードして学習させました。

説明には、

> **プロンプト**
>
> 『英語は10000時間でモノになる』著者の橋本大也氏のセミナー「英語はChatGPTでモノになる」の内容をベースにして英語学習のアドバイスをするAI

指示には、

> **プロンプト**
>
> アップロードした講演の書きおこしテキストファイルの内容をベースにして、ユーザーに対して英語学習のアドバイスを行う。アドバイスには、英語学習一般のノウハウではなく、テキストにあるデジタルハリウッド大学の橋本大也氏の発言や紹介した事例を含める。英語学習や生成AIの初心者にわかりやすい説明をする。時折、橋本大也氏の紹介する学習方法について称賛する

と入力しました。

画像アイコン、会話スターターを適当に設定して完成です。

このGPTsに「難しい英単語はどうやって覚えたらいいですか」と聞いてみると、ChatGPTを使って、読みたい本から難しい単語のみを拾い出して単語集を作らせるとか、語呂合わせのような覚え方を考案させるなど、**私が講演で話した内容に基づいて回答をしてれます。**

GPT BuilderのCapabilities（能力）では、画像生成、Web検索、データ分析の機能を利用するかどうか設定が可能です。用途によってオン・オフを選びましょう。

画像生成機能とデータ分析機能を使って、ユーザーが食べ物の写真をアップしたら、そのカロリーと栄養素のレーダーチャートを表示するAIなどという高度なAIも、簡単に作ることができます。

さまざまな
生成AI

ChatGPT&Copilot
以外の生成AI

テキストの生成AI（LLM）

　ここでは、ChatGPT&Copilot以外の生成AIを紹介します。生成AIブームにより、何千種類というサービスが存在していますが、ここでは本当に使える実用的なサービスを10種類厳選し、カテゴリー別に説明していきます。

■ グーグルのGemini

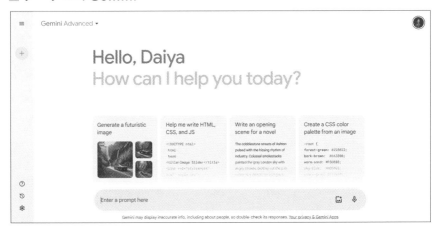

　OpenAIに次ぐ生成AI開発の有力企業がグーグルです。

　生成AIのトップ研究者は元グーグルであることが多く、グーグルは生成AIブームの立役者です。**Geminiという名前で、ChatGPTと同様のサービスを展開しています。**

　LLMとしての基本性能は、ChatGPT-3.5とは互角ですが、GPT-4には及ばないというレベルにあります。しかし、グーグルは、検索エンジンやワーク

スペース（ドキュメント、スプレッドシート、スライド、Gmail、Meetなど）の人気アプリケーションを持っており、生成AIを統合することでOpenAIにはできない応用サービスを展開しています。

たとえば、Googleドキュメントで文書の続きを書かせたり、スプレッドシートのデータを分析させたり、スライドを生成させたり、メールの返事を書かせたり、ビデオ会議の要約を作らせたりすることができます。

■ アンソロピックのClaude

一般的な知名度はありませんが、生成AIサービス競争の3番手くらいにつけているのが、**アメリカのベンチャー企業のアンソロピックが開発するClaudeです。**

これもGeminiと同じレベルの高い基本性能を持っています。

特長としては他の生成AIよりも長い文章を記憶できます。たとえば、300ページある本を丸ごと一冊アップロードして要約させるような芸当ができます。この会社はAmazon、Zoom、Notion、Quoraなどの人気サービスと提携し技術を供給していますから、今後、チャットサービスとしてではなく、ショッピングやビデオ会議の背後で使われるエンジンとして普及するのかもしれません。

イメージの生成AI

■ Stable Diffusion

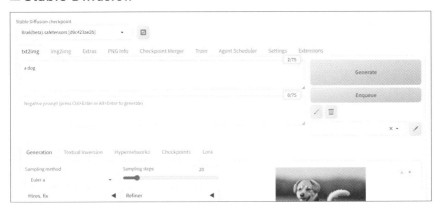

Stable Diffusion はオープンソースのイメージ生成エンジンです。

　画像生成の分野では、**OpenAIのDALL-E、Midjourneyと並ぶ3大高性能エンジンといってよいでしょう。**十億枚を超える画像を学習し、拡散アルゴリズムという発明を武器にして、高画質の画像を生成します。オープンソースであるため、世界中の開発者が追加した学習モデル、GPTsを用意しているのが特長です。二次元のアニメふうの絵を出す専用のモデルだとか、リアルな美人モデルを生成する専用モデルなど、モデルを切り替えることで、他の汎用エンジンにはできないレベルの画像を生成します。

　生成した人物の姿勢を自在に制御する**ControlNet**や動画化する**Deforum**などのGPTsもあります。拡張性では間違いなくナンバーワンです。GPU搭載のパソコンならばローカルにインストールして利用でき、無制限で高速の画像生成ができるので、プロがビジネスで使いやすいです。

Midjourney

　現状で最もクリエイティビティが高く、息をのむ美しさの画像を最も簡単に作り出せる画像生成エンジンが、同名の研究所が開発するMidjourneyです。

　趣味で画像生成を楽しみたい、デジタルアートを作りたいという人におすすめです。他の画像生成AIが無料で使うことができるのに対して、Midjourneyは有料版のみで提供されています。画像を生成するのに「/imagine」コマンドを入力するなど、利用するには操作法の勉強が必要です。

　プロンプトも独特な記法やスタイルがあります。面倒なところもありますが、出来上がる絵の素晴らしさを考えると、学ぶ価値のある知識です。

　それから、本書の執筆時点（2024年2月）では日本語のプロンプトに対応しておらず、すべて英語で使用します。

■ アドビのFirefly

　FireflyはPhotoshopやIllustratorを開発するグラフィックソフトの最大手のアドビによる画像生成エンジンです。

　最大の特長は、生成した画像に著作権侵害の可能性がほぼないこと。

　公開、商業利用する場合に重要なポイントです。

　Fireflyは、著作権がないパブリックドメインの画像のみを学習させているので、理論的に著作権違反の画像が生成されないといわれています。もしも著作権違反で訴訟になっても、アドビ社が助けてくれる心強い契約になっています。

　Fireflyは同社のPhotoshopの機能として呼び出すこともできます。

　なげなわツールで範囲を囲って、そこに欲しいモノを出現させたり、逆に消したいモノを消して背景を自然に埋めるようなレタッチができます。人物の衣装を変えたり、背景を変えるなどの大胆なクリエイティブ変換もお手のものです。無料でもある程度使うことができます。

動画の生成AI

■ Runway Gen-2

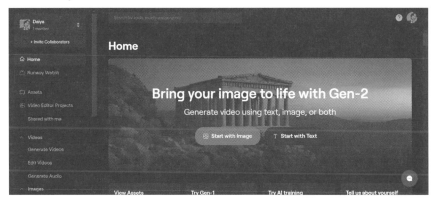

Runway Gen はアメリカのベンチャー企業のRunway Researchが開発した、テキストから動画を生成したり、画像から動画を生成したり、動画を別のスタイルに変換することができる生成AIです。

写真やイラストをアップロードし、指示を与えると被写体が動画として動き出します。

まずは同社の驚異のデモを見てみてください。やってみたくなるはず！無料で試用が可能です。

CMのような10秒程度の動画ならば、かなり精度の高いものを作ることができます。日々進化しており、いずれ映画を丸ごと生成できるようになるかもしれません。

■ D-IDのCreative Reality Studio

　D-ID社によるCreative Reality Studioは、**人物の写真やイラスト、原稿テキストを使って任意のスピーチをする動画を簡単に作ることができる生成AIです。**

　リップシンクや身体の動きも見事に合成するので、本物と見間違うスピーチ映像を作ることができます。

　たとえば、バイデン大統領の姿で、トランプ大統領の演説を読ませることができるのです。

　言語を変えることもできます。**英語が話せない人でも、写真1枚から流暢に英語を話す映像を合成できます。フランス語やドイツ語、中国語など100カ国を超える言語に対応しています。**

　似たサービスとして、本書で何度か登場した、与えた原稿からスピーチ動画を生成するHeyGenがあります。

プレゼンテーション資料の生成AI

■ Gamma

Gammaは、AIを活用してプレゼンテーション資料、Webページ、ドキュメントの作成を支援するツールです。 CHAPTER 4でも紹介しました。

プレゼン資料作成であればタイトルを入れるだけで、複数ページの構成案を提案してくれます。案にOKを出すとプレゼン用のスライド資料が生成されます。

文言だけでなくビジュアルの画像まで作ります。プロのデザイナーがデザインしてレイアウトしたかのような美麗な資料ができます。

少し手直しすれば実用に耐えるレベルです。長文のテキストからスライド資料を生成する機能もあります。

たとえば、プレゼン内容を口頭で話してテキスト化した後に、Gammaでスライド化すると、高速で資料作成が完了します。GammaはエンジンにChatGPTを利用しています。このサービスは無料で試用が可能です。

音楽の生成AI

■ Suno

Suno は高性能な音楽生成AIです。

タイトルやスタイルを入れるだけで、歌詞が生成され、バンド演奏をバックに、歌唱の入った音楽ファイルが生成されます。

ポップ、ロック、メタル、ユーロビート、ラップなど、多様な音楽ジャンルに対応しており、英語だけでなく日本語を含む複数の言語で歌詞、歌声を生成することも可能です。

各種カンファレンスや結婚式、パーティなど個人が運営するイベントでキーワードが歌詞に入ったテーマを入れてBGMにするようなことができます。短い秒数のものであれば無料で作ることができます。楽曲はサイト上で直接試聴することができ、MP3形式やMP4形式でダウンロードも可能です。Suno はマイクロソフトのCopilotのプラグインとして連携しています。

プログラムコードの生成AI

GitHub Copilot

　ChatGPTやCopilotにもコード生成能力がありますが、**GitHub Copilotは プログラマを支援するように調整され、開発環境と一体になったプロ向けの サービスです。**

　プログラマーが書いたコメントやコードに基づいて、最適なコードを書い てくれます。短いプログラムなら概要を言葉で説明すれば完成させます。

　コードの前半を書けば、後半を埋めてくれます。出来上がったプログラム をテストさせ、最適な形に再構成すること（リファクタリング）もできます。

　多くのプログラミング言語に対応しており、特にPython、JavaScript、 TypeScript、Ruby、Go、C#、C++などが得意です。

おわりに

■ この本を手に取ってくださった皆様へ

『頭がいい人のChatGPT&Copilotの使い方』を最後までお読みいただき、誠にありがとうございます。本書を通じて、ChatGPTとCopilotの可能性とその活用方法についての理解が深まったことを願っています。

　私たちは日々、情報の海を泳ぎながら、知識を得るための新しい方法を模索しています。ChatGPT&Copilotはその一助となるツールであり、本書がその使い方を探る旅の一部になれたなら、これ以上の喜びはありません。

　読者の皆様がこの本からインスピレーションを受け、自らの知識を拡張し、創造的な発想を実現するための一歩を踏み出すことを心から願っています。
　ChatGPT&Copilotと共に、未来への扉を開く鍵を手に入れたことでしょう。

　最後に、この本が皆様の日常やビジネス、学習において、有益なガイドとなり、ChatGPT&Copilotという素晴らしいテクノロジーを最大限に活用していただけることを願って止みません。

　未来は明るく、可能性に満ちています。ChatGPT&Copilotと共に、その未来を切り拓いていきましょう。

著者

というのは、Copilotが書いてくれた「あとがき」です。こうしたありがちな文章の作成は生成AIが得意としているところです。

　こんなふうにあとがきを始めると、「この本を書くのに著者は生成AIをどれくらい使ったのだろう？」と疑問を持たれるかもしれません。ええと……、それは、ですね。私にもよくわかりません。執筆中、ずっとパートナーとして一緒に考え、アシスタントとして使いました。

　どこからどこまでAIの仕事かはユーザーにもわからなくなる──。

　私にとって生成AIと一緒に本を書くのはこれが3冊目なのですが、仕事のスタイルが新しくなったことを実感しています。

　本当は、AIよりも人間と共同で作り上げた印象が強いです。

　2023年の春頃に私の講演を聴いてくれたかんき出版の谷内志保さんと、パーソナルコンピュータの歴史研究の分野における国内第一人者、株式会社クリエイシオンの高木利弘さんのお2人がこの本を企画しました。その後、ライターの庄子錬さんにも加わっていただき、本を形にしていただきました。

この3人の人間がいなかったら、この本は世に出ませんでした。私を入れて4人の共作と言えます。本当にありがとうございました。

　私は毎日のように、生成AIのノウハウを自分のFacebookで紹介しています。講演にも頻繁に登壇しています。それらの内容をまとめたのがこの本です。

　日々、私の情報発信にフィードバックをしてくださった大勢の方々、ありがとうございました。

　中でも、デジタルハリウッド大学の学長の杉山知之さんからの「いいね」の励ましは特別にモチベーションになりました。休日も執筆にあてていましたが、作業を温かく見守ってくれた妻の仁美、大学生になってレポートを生成AIで書いている息子にも感謝します。

橋本大也

【著者紹介】

橋本　大也（はしもと・だいや）

◉──デジタルハリウッド大学教授兼メディアライブラリー館長。多摩大学大学院客員教授。早稲田情報技術研究所取締役。ブンシン合同会社CEO。翻訳者。IT戦略コンサルタント。

◉──ビッグデータと人工知能の技術ベンチャー企業データセクション株式会社の創業者。同社を上場させた後、顧問に就任し、教育とITの領域でイノベーションを追求している。

◉──デジタルハリウッド大学大学院では「テクノロジー特論　Bデータ」、多摩大学経営大学院で「先端テクノロジー・マーケティングイノベーション」を教える。

◉──ChatGPTをはじめとする生成AIをテーマにした講演依頼が殺到。SNSでは常に最新情報を発信している。2024年1月デジタルハリウッドで生成AI教育プログラムを開発するブンシン合同会社CEOに就任し、生成AIの活用を教える「プロンプト・エンジニアリング・マスターコース」を創設し、自ら主任講師として教鞭をとっている。その他に、洋書を紹介するブログを運営しており、『WIRED』日本版などのメディアに書評を寄稿している。

◉──著書に『データサイエンティスト データ分析で会社を動かす知的仕事人』（SBクリエイティブ）、『英語は10000時間でモノになる　～ハードワークで挫折しない「日本語断ち」の実践法～』（技術評論社）、訳書・共著に『アナロジア～ AIの次に来るもの～』（早川書房）、共著に『ブックビジネス2.0- ウェブ時代の新しい本の生態系』（実業之日本社）などがある。

FB　https://www.facebook.com/daiya.hashimoto

Twitter　@daiya

WIRED　https://wired.jp/author/daiya-hashimoto/

頭がいい人のChatGPT＆Copilotの使い方

2024年3月18日　　第1刷発行
2024年10月1日　　第5刷発行

著　者──橋本　大也

発行者──齊藤　龍男

発行所──株式会社かんき出版
　　　　　東京都千代田区麹町4-1-4 西脇ビル　〒102-0083
　　　　　電話　営業部：03(3262)8011代　編集部：03(3262)8012代
　　　　　FAX　03(3234)4421　　　　　振替　00100-2-62304
　　　　　https://kanki-pub.co.jp/

印刷所──シナノ書籍印刷株式会社